Dessin de Cécile Dubuc

Aquin à la fin de ses études vers les années 1960

collection des "Frères chasseurs" No 2

Maquette de la couverture : Rodolphe Conan

Recherche et établissement de l'iconographie : Gaëtan Dostie

Les Editions Parti pris
947, rue Duluth est
Montréal

Gilles de La Fontaine

HUBERT AQUIN
et le Québec

les Editions Parti pris 1977
Dépôt légal : Bibliothèque nationale du Québec
4e trimestre 1977.
ISBN : 0-88512-125-2

Gilles de La Fontaine

HUBERT AQUIN
et le Québec

collection **FRERES CHASSEURS**

AVANT-PROPOS

Telle quelle, la présente étude s'est terminée avec l'année 1976. Le 24 décembre 1976, elle fut envoyée à Hubert Aquin qui, le 6 janvier 1977, écrivait à l'auteur la lettre manuscrite suivante (dont on pourra ci-après lire la copie) :

Montréal, 6 décembre 1977

Cher lecteur et ami,

J'ai lu votre thèse (merci de m'avoir proposé cette occasion) en quelques jours. Ainsi, veuillez excuser mon retard à vous écrire.

Avant de me rendre compte que cette thèse me concerne, je vous ai d'abord lu, si bien que j'ai le sentiment de vous connaître un peu (mais cela est illusion). Vous savez comme moi qu'après avoir lu un livre, on est un peu complice avec son auteur et que la lecture établit un lien de familiarité lecteur-auteur.

Et puis, j'ai compris que non seulement c'est vous que je lisais, mais moi que je relisais — mais de votre point-de-vue, par vos yeux et votre intelligence.

Si j'essaie d'être "objectif", voici ce que je dirais de votre thèse :

1) L'exposé de votre méthode (cf. Jacobson, Wiener) est remarquablement net et bon.

2) C'est la première fois que je lis une étude sur moi ~~dans~~ ~~laquelle~~ ~~l'auteur~~ dans laquelle l'auteur synthétise (ou systématise) la perception contextuelle politique de l'Antiphonaire 5 ou D.Noire. J'abonde dans votre sens.

3) Toutefois, comprenez que les valences symboliques que vous dégagez de l'Antiphonaire m'ont surpris. Mais cela n'est-il pas normal puisque quand le livre est publié, il n'appartient plus à son géniteur, mais à son lecteur qui l'interprète et lui confère ou coup une deuxième existence.

4) Tout ce qui concerne l'épisode m'a remué, mais je

me sais trop pourquoi. J'imagine que vous avez visé juste et j'ai fait grâce à votre démarche intellectuelle, des redécouvertes.

(Je suis deçu de ces paragraphes
"obj. et/y")

La démarche du critique est
créatrice. Et, dans le domaine
artistique, une critique éclairante
constitue ni plus ni moins une
variante inédite de l'oeuvre étudiée,
~~[rature]~~ J'en ai eu
la certitude en vous lisant.

Je préférerais de beaucoup
converser avec vous plutôt
que de vous écrire. Peut-être
pourriez-vous me passer un
coup de fil à (514) 486-4001.
Je vous y invite sincèrement. *[signature]*

Montréal, 6 décembre [sic], 1977

Cher lecteur et ami,

J'ai lu votre thèse (merci de m'avoir proposé cette occasion) en quelques jours. Ainsi veuillez excuser mon retard à vous écrire.

Avant de me rendre compte que cette thèse me concerne, je vous ai d'abord lu, si bien que j'ai le sentiment de vous connaître un peu (mais cela est illusion). Vous savez comme moi qu'après avoir lu un livre, on est un peu complice avec son auteur et que la lecture établit un lien de familiarité lecteur-auteur.

Et puis, j'ai compris que non seulement c'est vous que je lisais, mais moi que je relisais — mais de votre point de vue, par vos yeux et votre intelligence.

Si j'essaie d'être "objectif", voici ce que je dirais de votre thèse :

1) *l'exposé de votre méthode (cf : Jakobson, Winner) est remarquablement net et bon.*

2) *C'est la première fois que je lis une étude sur moi dans laquelle l'auteur synthétise (ou systématise) la perception conceptuelle politique de l'Antiphonaire et de N. Noire. J'abonde dans votre sens.*

3) *Toutefois, comprenez que les valences symboliques que vous dégagez de l'Antiphonaire m'ont surpris. Mais cela n'est-il pas normal puisque quand le livre est publié, il n'appartient plus à son géniteur, mais à son lecteur qui l'interprète et lui confère du coup une deuxième existence.*

4) *Tout ce qui concerne P. Episode m'a remué, mais je ne sais trop pourquoi. J'imagine que vous avez visé juste et j'ai fait, grâce à votre démarche intellectuelle, des re-découvertes.*

(Je suis déçu de ces paragraphes "objectifs").
La démarche du critique est créatrice. Et dans le domaine artistique, une critique éclairante constitue ni plus ni moins une variante inédite de l'oeuvre étudiée. J'en ai la certitude en vous lisant.

Je préférerais de beaucoup converser avec vous plutôt que de vous écrire. Peut-être pourriez-vous me passer un coup de fil à (514) 486-4001.

Je vous y invite sincèrement.

Hubert Aquin

JALONS BIOGRAPHIQUES

1929, 24 octobre
Naissance, rue Saint-André à Montréal.

Etudes primaires à l'école Ollier, Montréal.

Cours classique à l'Externat Classique Sainte-Croix, Montréal.

Etudes au Collège Sainte-Marie.

1948-1951
Cours universitaire à l'Université de Montréal.
Licence de philosophie, 1951.
Spécialisation : Husserl, Sartre.

Ecrit régulièrement pendant cette période de trois ans dans le journal étudiant *Quartier Latin* : une trentaine d'articles (essais et fictions).

1951-1954
Etudes à l'Institut d'Etudes politiques de Paris.

1954
Scolarité de doctorat en Esthétique
(Faculté de Philosophie, Paris).
Directeur : Etienne Souriau.

1955-1959
Réalisateur et superviseur à Radio-Canada.

1959-1963
Producteur et réalisateur à l'Office National du Film, Montréal.

1959
"Les Rédempteurs" (récit) dans *Ecrits du Canada français*, volume V, pages 45-114.

1960-1964
Courtier en valeurs immobilières.
19 novembre, refus du permis de séjour par la Police fédérale des Etrangers, présumément sur la foi des dossiers de la G.R.C., de toute évidence pour ses activités "séparatistes" antérieures au Québec.

1967

Directeur national du R.I.N.
Cinéaste-conseil pour le Pavillon du Québec, à l'Expo 67.

1967-1969

Professeur et directeur du département d'Etudes françaises au Collège Sainte-Marie, Montréal.

1961-1971

Ecrit régulièrement dans *Liberté*, tout en faisant partie du Comité de Direction de la revue.
Directeur de la revue de novembre 1961 à juillet 1962.
Y fait paraître, en mai 1961, une magistrale étude intitulée : "La fatigue culturelle du Canada français", en réponse à un article de Pierre Elliott Trudeau dans *Cité Libre* (avril 1962) : "La nouvelle trahison des clercs."

1963

Vice-président du R.I.N. (Rassemblement pour l'Indépendance Nationale), région de Montréal.

1964, juillet

Arrêté pour port d'armes.
Interné à l'Institut Albert-Prévost, où il écrit son premier roman, *Prochain Episode*.
Libéré sur cautionnement en décembre 1964.
Procès et acquittement (décembre 1965).

1965, novembre

Parution de *Prochain Episode* au Cercle du Livre de France.

1966

Mai, départ pour la Suisse.
Juillet, installation à Nyon et demande du permis de séjour.
29 août, interrogatoire à la Police du Canton de Vaud, à Lausanne, sur l'emprisonnement de 1964, à Montréal, l'appartenance au R.I.N., les soupçons de violence, de terrorisme, et de collusion avec les organisations communistes et le Front de Libération Jurassien.

1968

Parution du deuxième roman, *Trou de Mémoire*, au Cercle du Livre de France.

Refus du prix du Gouverneur général du Canada.

1969-1970

Professeur d'esthétique et directeur du département d'Esthétique et de Littérature à l'Université du Québec à Montréal.

1969

Parution de *l'Antiphonaire* au Cercle du Livre de France. Prix du gouvernement du Québec.

1971

Point de fuite paraît au Cercle du Livre de France. Recueil d'essais, de lettres, de récits et de notes, présenté par l'auteur comme une "accumulation fatale de certaines confessions autobiographiques". (Préface p. 9).

1971-1972

Travail à l'Office National du Film.

1971, 29 mai

Démission, à l'occasion de la Rencontre des Ecrivains, du comité de direction de *Liberté*, pour protester contre les subventions liantes accordées par le Conseil des Arts du gouvernement fédéral.

1972, automne

Professeur invité à l'Université de Buffalo.

1973

Prix David, en littérature, du gouvernement québécois.

1974, automne

Parution de *Neige noire*, quatrième roman, aux Editions La Presse.

1975, 21 février

Devient directeur littéraire des Editions La Presse, avec l'espoir de faire bénéficier les lettres québécoises des ressources financières de Power Corporation. Roger Lemelin, président de La Presse Ltée, déclare à cette occasion qu'"il devient possible de faire beaucoup pour pallier à la crise de l'édition au Québec, compte tenu de l'armature financière solide dont jouit le journal."

1976, 4 août

A la suite du refus de la direction de *la Presse* de publier le *Dictionnaire des oeuvres littéraires du Québec* et d'autres projets de promotion québécoise, Roger Lemelin reçoit une virulente lettre de protestation, dénonçant la politique culturelle équivoque des Editions La Presse.

1976, 6 août

Hubert Aquin est congédié de son poste de directeur littéraire des Editions La Presse.

1976, 7 août

Sous le titre : "Pourquoi je suis désenchanté du monde merveilleux de Roger Lemelin", *le Devoir* publie la lettre d'Aquin à Lemelin.

1977, 15 mars

Hubert Aquin s'enlève la vie dans le jardin du collège Villa-Maria à Notre-Dame-de-Grâce, Montréal. Ses derniers mots, tels que rapportés par son épouse :

> *"Aujourd'hui, le 15 mars 1977, je n'ai plus aucune réserve en moi. Je me sens détruit. Je n'arrive pas à me reconstruire et je ne veux pas me reconstruire. C'est un choix. Je me sens paisible, mon acte est positif, c'est l'acte d'un vivant. N'oublie pas en plus que j'ai toujours su que c'est moi qui choisirai le moment, ma vie a atteint son terme. J'ai vécu intensément, c'en est fini."*

Les Editions La Presse

Le 15 janvier 1976

M. Robert Choquette
1321, rue Sherbrooke ouest
app. B-80
Montréal, Qué.

Cher monsieur Choquette,

Il me presse de vous faire part de ma
décision quant à l'invitation gracieuse que vous
m'avez transmise de la part de l'Académie canadienne-française. Hélas, c'est l'Académie qui
doit se rendre à l'évidence et non pas moi! Il
ne s'agit pas d'un faux problème car nommer les
choses, c'est aussi les constituer en réalité;
à force de désigner comme canadiens-français
ceux qui refusent d'être canadiens, c'est sur
la réalité qu'on joue et non sur les mots.

Il est toujours plaisant d'imaginer
que les gens de générations différentes puissent s'unir dans un projet qui les harmonise,
mais peut-on forcer cette harmonie et finalement instaurer une union fondée sur un malen-
tendu.

Je vous remercie de votre aimable
réception chez vous l'autre jour et vous souhaite un voyage agréable outre-mer.

Respectueusement vôtre,

Hubert Aquin

HA/md

La Presse, Ltée
7, rue Saint-Jacques
Montreal 126, Quebec

Photo d'Andrée Yanacopoulo, vers 1973

I

LE FIL ET LE TISSU

Devant les textes romanesques d'Hubert Aquin, on n'est pas tenté d'user d'expressions convenues, comme le fil de l'intrigue ou la trame du récit. C'est plutôt l'image du tissu qui vient à l'esprit, pour peu qu'on veuille caractériser ces impressionnants ensembles verbaux dont la texture complexe ne se prête guère aux définitions faciles. "Un tissu d'art", c'est d'ailleurs la métaphore employée par P.X. Magnant, héros-écrivain de *Trou de Mémoire* [1], pour décrire la nature du texte en cours d'élaboration.

Ce n'est pas un des minces mérites de cette oeuvre fictionnelle que, tout en se présentant comme un produit imposant de la littérature francophone contemporaine, elle n'en reste pas moins un témoin des plus éloquents de l'effervescence actuelle de la culture québécoise. "Poète des mots, écrit Jacques Folch, Hubert Aquin est peut-être le premier écrivain qu'il faudrait lire pour saisir la complexité du Québec (2)".

Certes, la lecture des romans aquiniens n'est pas à inscrire au nombre des entreprises faciles ou activités courantes à gratification immédiate. Ce n'est pas du "candy", pour reprendre à nos fins (béni soit qui bien y pense) le terme du premier ministre P.E. Trudeau. Cet hermétisme de prime abord, susceptible d'ennuyer ou de détourner plus d'un lecteur pressé, voire de frustrer maint étudiant de lettres, il ne faudrait quand même pas le voir comme une simple complaisance d'esthète, une maligne coquetterie d'artiste en mal d'épate. Bien au contraire il nous semble tenir à la fibre intime du tempérament de l'écrivain, un écrivain pour qui il est inacceptable de concevoir l'écriture comme une "aventure de notre monde intérieur" destinée à occuper les soirées libres [3]. Ecrivant "par appartenance, non par engagement" [4], Aquin est pleinement conscient de la situation collective québécoise dans laquelle s'inscrivent tant sa vie que son oeuvre, et le romancier n'entend aucunement diluer ou simplifier la complexité, voire la confusion, inhérente à cette situation. Il tend plutôt à véhiculer, à refléter cette complexité et cette confusion, répondant de ce fait tant à ses préoccupations les plus profondes d'homme québécois qu'à l'appel le plus authentique de ses incoercibles dons d'écrivain. "Nous sommes, écrivait-il en 1961, en présence d'un inconscient collectif, objet multiple de deux siècles de refoulement, qu'il nous presse de faire affleurer à la conscience (5)".

Il y a donc tout lieu de penser que ces difficultés de lecture associées aux intrications de l'écriture sont loin d'être gratuites ou fortuites. Elles font partie du système textuel d'Aquin, qui écrivait encore, dans le même article de 1961 : "Nous choisissons l'éclatement, la convulsion, l'attaque," (6) ne laissant aucun doute sur le fait que pour lui, "la parole est une forme de vie, et par ce biais magnifique, un mode d'action (7)". Si on se rappelle par ailleurs que le refus d''écrire affiché antérieurement à la publication de *Prochain Episode* tenait pour la plus grande part à l'impuissance ressentie d'enfreindre et de dépasser les mécanismes en place du régime d'exploitation et d'assimilation colonialiste, on aura encore de bonnes raisons de croire que "l'éclatement" et "la convulsion" de l'écriture ne sont pas étrangers au désir de décourager, voire d'empêcher toute lecture récupératrice susceptible d'émasculer les textes en les désamorçant de leur teneur révolutionnaire. Dans un autre article de 1961, le futur romancier indiquait déjà nettement sa résistance aux compromis en ce qui concerne l'"appartenance" de son art. "Dans l'ordre de la révolution, écrit-il, il ne peut y avoir de modérés, de la même façon qu'il ne peut y avoir d'amateurs en art. Une conjonction évidente existe entre ces deux aspects de notre vie nationale. Pour le moment, l'intuition que j'en ai me convainc ; j'entreprendrai une autre fois... (8)". Ce qu'il a entrepris par la suite dans l'ordre romanesque nous convainc aussi que ses positions en la matière, bien loin de s'altérer, n'ont fait que trouver leur incarnation dans la forme artistique ; ce qui ne signifie pas que les modalités de cette incarnation n'ont pas varié ou évolué d'un volume à l'autre, comme nous aurons l'occasion de le constater par la suite.

Ceci dit sur certains aspects déroutants du style romanesque d'Hubert Aquin, il importe d'ajouter que l'oeuvre ne constitue pas pour autant un fastidieux grimoire ou quelque ésotérique réseau de messages chiffrés, accessible aux seuls et rares détenteurs du code secret. Nous croyons au contraire qu'elle reste ouverte à tout lecteur curieux, pour peu qu'un texte lui soit autre chose qu'une occasion banale et facile d'information ou de désennui, soit une aventure imprévue de découverte et d'émerveillement, susceptible de nourrir ses réflexions les plus intimes sur sa propre situation et celle de l'univers ambiant. Un tel lecteur curieux et tant soit peu audacieux, même sans aller au bout de tous les raffinements dialectiques ou subtilités techniques du texte, n'en sera pas moins sensible aux splendeurs de l'écriture aquinienne. C'est dire que la lecture d'Aquin risque fort de demeurer de toute façon, pour qui la tente, une expérience esthétique difficilement négligeable.

Lire Aquin, c'est en effet s'offrir une occasion d'admirer un spécimen éminent des lettres québécoises contemporaines, spécimen constituant par ailleurs une non moins impressionnante contribution à la culture francophone internationale. C'est en même temps, selon l'indication précitée de Jacques Folch, pratiquer une plongée dans la conscience (et l'inconscience) d'un peuple dans ce qu'elle a de plus lucide et ardent, mais aussi dans les tourments de son ambivalence et de son impuissance. Par la même occasion, le lecteur se trouve à assister (à participer, pour ainsi dire), à l'élaboration en cours d'une création romanesque et poétique fondée au départ sur une dialectique d'opposition entre l'art et la situation historique collective (9). Cette problématique qui, dans les termes de Jacques Pelletier, "fournit à la fois la thématique majeure des deux premiers romans d'Aquin et leur principe de composition (10)", pour s'estomper — sans disparaître — dans les suivants, introduit le lecteur dans une expérience esthétique particulièrement riche, en ceci qu'elle reste ancrée dans une réalité nationale et culturelle donnée, sans pour autant jamais se piéger aux lacs du régionalisme étroit.

Main de Aquin reproduite de *Ces mains qui vous racontent* d'André-Pierre Boucher, 1966

Lire Aquin, c'est encore voir à l'oeuvre, les tensions psychologiques qui se nouent, les débats et combats qui se livrent dans l'âme d'un homme aussi lucide et cultivé que passionné, hanté par la violence, entre la soif d'épanouissement national, la quête d'amour humain et les appels irrésistibles de la vocation d'écrivain. C'est aussi, il ne faut pas oublier de le souligner, suivre la fascinante intrigue d'un roman d'espionnage ou policier, dont l'imprévu et le suspense peuvent honnêtement satisfaire les plus férus de ces sortes d'écrits.

Toute la richesse sémillante de ces données n'apparaît pas nécessairement au grand jour, même si déjà de bons aperçus peuvent en venir au lecteur persévérant qui se laisse entraîner — plutôt que détourner — par "la prime de séduction ou plaisir préliminaire" (11) que constituent les fulgurantes flambées du style baroque de l'auteur.

C'est précisément ce qui fait d'Aquin un sujet de prédilection pour l'étude de la littérature québécoise, si tant est que l'étude de la littérature n'est rien d'autre qu'un apprentissage, ou une pratique plus poussée, de la lecture et de l'écriture. Il est difficile en effet de lire et goûter pleinement Aquin, à moins de le relire, pour mieux saisir comment, pourquoi, et de quoi vraiment il écrit. C'est dire que de ce brillant enchevêtrement un décodage pratiquement s'impose ; un déchiffrement qui ne révélera sans doute pas tout, mais pourra quand même permettre une substantielle percée au fort de la forêt romanesque aquinienne. Or ce fort de la forêt, où se concentre et d'où surgit l'inspiration maîtresse du romancier, c'est la patrie québécoise humiliée et l'urgence ressentie de sa résurgence.

Il est un passage de *Prochain Episode* que nous citerons ici, tant pour illustrer l'émergence de ce thème majeur du pays que pour indiquer comment Aquin lui-même est conscient de l'hermétisme partiel de ses romans-messages et de la nécessité de désintrication — ou décodage — que comporte leur transmission. L'auteur-narrateur-héros s'adresse à K, son amante et co-révolutionnaire dont il est séparé et qu'on a plus d'une raison (entre autres les dernières lignes du texte ci-dessous) de considérer comme une personnification de l'âme du pays québécois :

Ecrire est un grand amour. Ecrire, c'était t'écrire ; et maintenant que je t'ai perdue, si je continue d'agglutiner les mots avec une persévérance mécanique, c'est qu'en mon for intérieur j'espère que ma dérive noématique que je destine à des interlo-

cuteurs innés, se rendra jusqu'à toi. Ainsi, mon livre à thèse n'est que la continuation cryptique d'une nuit d'amour avec toi, interlocutrice absolue à qui je ne puis écrire clandestinement qu'en m'adressant à un public qui ne sera jamais que la multiplication de tes yeux. Pour t'écrire, je m'adresse à tout le monde. L'amour est le cycle de la parole. Je t'écris infiniment et j'invente sans cesse le cantique que j'ai lu dans tes yeux ; par mes mots, je pose mes lèvres sur la chair brûlante de mon pays et je t'aime désespérément comme au jour de notre première communion (12).

En relisant attentivement cette page, on en arrive à déduire assez nettement l'itinéraire prévu par l'auteur pour son message d'amour. Il s'adresse principalement mais indirectement à l'âme collective de son pays, l'"interlocutrice absolue", dont le pouvoir générateur ou vivificateur ("multiplication de tes yeux") n'a pas encore atteint l'ensemble du peuple (le "public", "tout le monde"), à qui l'écrivain adresse, mais d'une façon voilée, emmêlée, "cryptique", son "livre à thèse", soit son message de réveil révolutionnaire. Mais comme précisément ce peuple n'est pas encore disposé à recevoir le message, c'est à "des interlocuteurs innés", soit des compatriotes plus attentifs et ouverts à ses intentions qu'il destine son appel chiffré ou codé (sa "dérive noématique").

Ce texte, avec les méandres caractéristiques de l'écriture et l'intrication typique des thèmes, nous semble particulièrement bien choisi pour introduire l'oeuvre d'Hubert Aquin. Il dégage en effet avec une singulière netteté les intentions du romancier, tout en indiquant le cheminement prévu et

Edition princeps, 1965   Edition européenne, 1966

souhaité de leur réalisation ou prolongement chez le lecteur. Ce public trop distrait ou aveugle pour lire et reconnaître ses propres aspirations vitales va peut-être quand même, grâce à l'appel passionné du romancier et de ses interprètes, retrouver son âme endormie, sinon perdue.

Du texte précité, que nous avons choisi comme point d'appui de notre démarche investigatrice, il est deux données majeures que nous tenons ici à mettre en évidence, à monter en épingle dès le départ, c'est d'une part l'inspiration amoureuse du projet de l'écrivain ("Ecrire est un grand amour"), d'autre part le caractère essentiellement verbal de son entreprise (*"par mes mots*, je pose mes lèvres sur la chair brûlante de mon pays"). Les deux pôles de l'opération romanesque se trouvent ainsi nettement marqués, identifiés : d'un côté l'amour dictant, "agglutinant" les mots, de l'autre, "le cycle de la parole" disant l'amour qui l'inspire.

Le lecteur plus attentif aura sans doute saisi la nature étrange et significative de cette même copule "est" qui constitue le noeud liant des deux formules équivalentes ci-devant citées : "Ecrire *est*... amour' et "amour *est*... parole". Ce qui est ainsi affirmé par l'écrivain c'est l'homologie, voire l'identité en lui (en tant qu'écrivain, s'entend) entre le fait d'écrire et le fait d'aimer. Sans doute reste-t-il juste de dire qu'il écrit par amour, mais ce que l'écrivain veut surtout nous signifier, et qu'il importe déjà de remarquer, c'est que pour lui, aimer, c'est écrire ; c'est dans le fait même d'écrire que consiste et s'exerce son action d'aimer. Nous rencontrerons d'autres occasions de revenir sur cette liaison osmotique entre l'écriture et l'amour. Pour le moment, ce qu'il suffit et importe d'ajouter, c'est ce que le lecteur, même le plus pressé ou distrait, n'aura pas manqué de noter dans notre texte-témoin, à savoir l'aspect insolite d'"une nuit d'amour" qui se continue cryptiquement dans "un livre à thèse", l'allure par ailleurs non moins singulière d'un baiser qui pose des mots sur "la chair... d'[un] pays". C'est assez dire que l'amour en question, et qui instaure entre les deux pôles déjà mentionnés, un champ magnétique nettement délimité et spécifié, c'est l'amour d'une patrie, d'un pays aussi bien-aimé que mal en train, qu'il s'agit d'exprimer et de rejoindre par la parole amoureuse.

En faisant, temporairement et partiellement, abstraction du pôle affectif constitué par l'amour du pays, on peut donc, en s'en tenant au pôle effectif de l'oeuvre réalisée, définir l'entreprise du romancier Aquin comme étant essentiellement une entreprise verbale, une aventure langagière, soit plus précisément un procès d'écriture. Or qui dit langage, parlé ou écrit, dit nécessairement communication, et qui dit communication dit aussi, (pour emprunter le modèle de base et la terminologie commune des deux disciplines impliquées) un message à transmettre d'un destinateur à un destinataire, avec, entre les deux, comme moyen indispensable de transmission, un code commun qui permette tant au destinateur ou émetteur d'encoder et d'émettre son message qu'au destinataire ou receveur de le décoder et le recevoir de fait. Puisque nous voilà rendus sur le terrain de la communication et de la linguistique, précisons encore, pour éviter toute éventuelle confusion que, dans l'instance qui nous occupe présentement, le message en cause, c'est l'oeuvre romanesque d'Hubert Aquin ; le destinateur, c'est l'écrivain ou le romancier lui-même ; le destinataire, c'est le lecteur ; le code, c'est la langue employée, soit la langue française ; le langage ou la parole, c'est l'usage effectif, parlé ou écrit, du code de la langue. Nous pourrions encore ajouter, toujours en vue de préciser les termes et de promouvoir la clarté dans la discussion, que le style c'est la façon personnelle, caractéristique, idiosyncratique, dont l'écrivain use de la langue.

Revenons à notre texte-témoin, devenu texte-pilote, pour y remarquer avec quelle insistance l'écrivain s'applique à mettre en évidence le message qu'il est en train de rédiger : c'est en quelque sorte une lettre d'amour à une amante perdue. Il lui écrit "clandestinement", même s'il écrit à "tout le monde", en ce sens que sa lettre est une expression, voire une "continuation cryptique" codée, camouflée, d'une aventure amoureuse déjà engagée. Et, premier élément de décryptage en même temps que répétition plus explicite de la substance même du message : ses mots, proférés comme un baiser, s'adressent à son pays troublé. Ce passage n'est pas

Edition scolaire parue en 1969

le seul du roman, tant s'en faut, où se manifeste le souci de l'écrivain de renseigner sur la teneur et les aléas du message en cours. Il se trouve que celui-ci offre une sorte de modèle abrégé du texte entier dans sa façon de mettre constamment en relief les divers aspects du message qu'il constitue.

Or, si on demandait à la linguistique, qui s'applique, entre autres, à définir les diverses fonctions du langage, comment elle désigne un pareil texte s'appliquant aussi systématiquement à valoriser son contenu, elle nous répondrait qu'il s'agit là d'un usage poétique de la langue. "La mise en relief du message par lui-même, dit Roman Jakobson, est proprement ce qui caractérise la fonction poétique (13)". Ou encore :

> *"L'objet de la poétique, c'est, avant tout, de répondre à la question :* "Qu'est-ce qui fait d'un message verbal une oeuvre d'art ?" *Comme cet objet concerne la différence spécifique qui sépare l'art du langage des autres arts et des autres sortes de conduites verbales, la poétique a droit à la première place parmi les études littéraires* (14)*!*

Il va de soi que le terme "poétique" dans cette formulation de Jakobson doit s'entendre dans son acception très générale, celle où il devient l'équivalent d'esthétique, ou de création verbale autonome, de langage littéraire libéré, au sens où Georges Bataille écrivait : "La seule voie libérant l'objet fabriqué de la servilité de l'outil est l'art, entendu comme une véritable fin."(15)

A propos du texte de Jakobson définissant la fonction poétique du langage dans ce qu'elle a d'essentiel, de propre et caractéristique, disons encore qu'il délimite nettement le champ de la présente étude, de même que l'orientation dans laquelle nous nous proposons de l'engager. Nous voyons deux bonnes raisons à ce choix en faveur de l'approche linguistique, la première étant l'apport bienvenu (pour ne pas dire : le secours) d'une méthode éprouvée, issue d'une discipline qui, comme on sait, a été la première des sciences humaines à se constituer en véritable science, d'autres, comme l'anthropologie, la sémiologie, la psychanalyse, les études littéraires n'ayant cru mieux faire en ce sens que de suivre l'exemple et les traces de la linguistique. Ce qui, soit dit en passant, ne peut s'avérer que très approprié, si l'on songe au caractère de spécificité distinctive de l'homme communément attribué au langage (16). La deuxième raison de notre choix du modèle linguistique comme méthode d'approche, réside en ce que ce modèle de présentation de l'art littéraire, comme nous le verrons dans un moment, avec la fonction poétique (esthétique ou fictionnelle) installée en son centre en position prépondérante, nous semble particulièrement bien adapté à l'oeuvre romanesque d'Hubert Aquin, si fortement et esthétiquement instituée dans le pouvoir créateur de la langue. Cette seconde raison ne peut évidemment être ici donnée que sous bénéfice d'inventaire. Nous osons espérer que la suite et les conclusions de cette étude (sans parler du recours — ou retour — tant soi peu empathique et attentif, encore plus probant, à l'oeuvre romanesque elle-même) constitueront une suffisante garantie de ce qui peut sembler à ce stade une affirmation gratuite ou attribution prématurée de lauriers.

Puisque nous nous sommes déjà réclamé de la méthodologie linguistique de Jakobson, nous poursuivons dans la foulée de ce maître, l'un des plus simples et expérimentés de la linguistique moderne, croyant avec lui qu'"avant d'aborder la fonction poétique, il nous faut déterminer quelle est sa place parmi les autres fonctions du langage (17)". Or ces fonctions diverses s'appuient, se superposent pour ainsi dire, aux éléments intégrants ou facteurs constitutifs de toute entreprise linguistique, soit de tout procès de communication verbale, où il s'agit de mots (oraux ou écrits) à transmettre.

Donnons d'abord le tableau combiné tant des éléments constitutifs de la communication (italiques) que des fonctions linguistiques (capitales) qui en découlent :

ELEMENTS CONSTITUTIFS ET FONCTIONS LINGUISTIQUES DE LA COMMUNICATION VERBALE

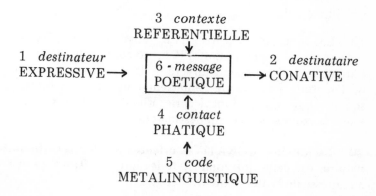

> *Le destinateur* [1º] *envoie un message* [6º] *au
> destinataire* [2º]. *Pour être opérant, le message
> requiert d'abord un contexte* [3º] *auquel il renvoie
> (... qu'on appelle aussi... le "référent"), contexte
> saisissable par le destinataire..., ; ensuite, le message
> requiert un code* [5º], *commun, en tout ou au
> moins en partie, au destinateur et au destinataire
> (ou, en d'autres termes, à l'encodeur et au déco-
> deur du message) ; enfin, le message requiert un
> contact* [4º], *un canal physique et une connexion
> phychologique entre le destinateur et le destinatai-
> re, contact qui leur permet d'établir et de mainte-
> nir la communication* (18).

Cette explication de Jakobson (à laquelle nous avons ajouté les numéros correspondant aux termes du tableau) nous offre une claire définition des "facteurs constitutifs de tout procès linguistique", facteurs sous-jacents aux diverses fonctions correspondantes, qu'il nous reste à expliciter.

Pour éviter d'alourdir indûment la présente entrée en matière, nous nous contenterons pour le moment de donner des fonctions linguistiques inscrites dans le tableau ci-dessus de brèves définitions qui, même si elles ne sont pas encore proprement opératoires, serviront du moins à en établir une nécessaire identification, quitte à les étoffer davantage au moment de l'application particulière à notre propos de chacune des fonctions.

Voici donc, dans l'ordre numérique du tableau précédent, les six fonctions linguistiques de la communication verbale, telles que décrites par Jakobson (19), fonctions qui serviront par la suite de fil d'Ariane au cheminement de notre lecture aquinienne :

1º   La fonction EXPRESSIVE, aussi (et peut-être plus proprement) appelée EMOTIVE, axée sur le destinateur s'applique à l'expression directe — dans le message même — de l'attitude émotive de l'émetteur concernant la teneur de son message, ou ce dont il parle. Elle est centrée sur la première personne, le "je" du destinateur.

2º   La fonction CONATIVE, orientée vers le "toi" du destinataire, est celle qui commande les interpellations vocatives à l'adresse de l'interlocuteur.

3º   La fonction REFERENTIELLE, celle du "lui", "elle"

ou "ça" du référent dont il est question, sert à identifier le contexte plus générique mis en cause dans le message.

4º   La fonction PHATIQUE, celle du contact, est mise à contribution chaque fois qu'il s'agit d'amorcer ou de maintenir la communication.

5º   La fonction METALINGUISTIQUE, qui porte sur le langage lui-même, entre en jeu chaque fois que de l'information est donnée sur le code utilisé (langue ou rhétorique) dans la transmission même du message en cours d'élaboration.

6º   La fonction POETIQUE, prédominante dans le langage ou l'art littéraire, est assignée à la mise en évidence ou valorisation, pour son propre compte, du message lui-même. Il va sans dire que les moyens mis à sa disposition, selon les genres et les styles, sont innombrables.

Est-il besoin de nous excuser de l'apparente lourdeur de l'appareil technique ainsi mis en oeuvre ? S'il est vrai, comme aurait dit Jean Rostand, que "seul importe dans l'oeuvre le peu qu'on est seul à écrire", on pourrait sans doute nous objecter qu'un roman d'Aquin, en dépit (ou peut-être à cause) de ses complexités délibérées, offre beaucoup plus de gratification que la sorte d'analyse systématique que nous nous apprêtons à pratiquer. Nous le reconnaîtrions volontiers, tant il est vrai aussi que la splendeur de la vie en acte gardera toujours son inaliénable avantage sur la dissection, si instructive soit-elle, du plus bel animal. Qu'il suffise de rappeler que la présente entreprise en est une d'élucidation, par l'analyse et la différenciation, d'une oeuvre romanesque touffue dont les tendances, volontairement imprimées en elle par le choix esthétique de leur auteur, vont plutôt dans le sens du syncrétisme et de l'indifférenciation. Alors que l'oeuvre, par définition, se situe dans les régions poétiques du principe de plaisir, l'analyse, elle, doit nécessairement s'installer dans le domaine scientifique, plus aride, du principe de réalité. En d'autres termes, et pour revenir à notre appareillage méthodologique (et en illustrer au passage l'économique commodité), disons simplement que pour mieux atteindre à la joie esthétique du message, il nous semble indispensable d'accepter les rigueurs ascétiques du métalangage.

Alors que le code commun à l'auteur et au lecteur, de par les effets inhérents à la fonction poétique ou fictionnelle, comporte un certain chiffrement plus ou moins élaboré, qu'il s'agit de déchiffrer pour en arriver au terme de la communication esthétique, le code requis par l'analyse (pour mieux décoder le message de l'oeuvre étudiée), c'est au départ qu'il faut en établir aussi clairement que possible la communauté entre l'analyste et son destinataire, de façon à assurer au mieux la communication exégétique visée.

Cette parenthèse sur la méthode d'approche étant close, disons enfin comment et dans quel ordre nous entendons la mettre en oeuvre. Pour quiconque aborde un roman d'Aquin, il devient vite évident qu'il s'engage dans une aventure verbale où l'usage des mots, soit le langage, n'a rien de conforme à l'usage courant, rien non plus de la prose linéaire classique, avec développements rationnels et conséquents. Bien au contraire, ce qui, de prime abord, frappe le lecteur, c'est bien plutôt l'emploi foisonnant, débordant, voire redondant du vocabulaire, allié à l'allure nettement débridée, libérée de la phrase. Ce caractère baroque de l'écriture aquinienne n'empêche pourtant pas de s'exercer une constante correction syntaxique et une propriété terminologique, difficilement répréhensible dans ses spectaculaires audaces. Ces deux faces du style, élan de libération forcenée d'une part, volonté de correction et de précision d'autre part, ne sont pas sans susciter chez le lecteur une nette et vive impression de force, voire de violence retenue, qui éclate dans une sorte de pyrotechnie verbale, tout en conservant à son foyer de concentration une intention délibérée de se contenir et de se voiler, tout en s'exerçant et se manifestant. Ces deux composantes conjuguées du dynamisme verbal aboutissent à un chassé-croisé des niveaux de signification, à un savant brouillage (ou chiffrement) de ces fonctions du langage ci-devant énumérées. Toutes ces fonctions sont à l'oeuvre dans le texte, mais d'une façon délibérément incohérente, emmêlée, désordonnée, façon que nous n'avons pas à discuter ou à mettre en question, puisqu'elle ressortit au choix libre et incontestable de l'écrivain de produire ainsi son écriture, de livrer ainsi son message, d'exercer ainsi la fonction poétique, ou romanesque, qui spécifie son projet langagier.

La seule question pertinente qui puisse se poser consiste à savoir si un tel procédé, s'appliquant à mélanger les plans et à brouiller les pistes, aboutit en définitive à une communication enrichie, à une plus-value de signification inscrite dans la qualité particulière qu'en tire le message. Sans doute pourrait-on se contenter de dire, puisqu'il s'agit d'un message littéraire, ou poétique au sens large, qu'il est assez normal qu'il en soit ainsi, puisque, comme l'assure Jakobson, "l'ambiguïté est une propriété intrinsèque, inaliénable, de tout message centré sur lui-même, mais aussi le destinateur et le destinataire deviennent ambigus [20]." Mais ce serait poser un acte de foi aussi vain que facile ; il ne suffit pas en effet de savoir si le message présente les traits d'une communication artistique ou poétique, encore faut-il, si l'on tend vraiment vers une connaissance approfondie, déterminer en quoi et pourquoi la qualité artistique (littéraire, ou poétique) du message contribue à lui donner un supplément de sens et d'efficacité.

Au lecteur le moindrement attentif d'un roman d'Aquin, qui en a saisi, ne fût-ce que furtivement au passage, les diverses résonances significatives parsemées et entremêlées dans le fil du récit, il ne fait pas de doute que le schéma jakobsonien des fonctions du langage poétique (ou romanesque) y trouve un exemplaire champ d'application. Songeant par exemple à *Prochain Episode*, quel lecteur pourrait nier que ce roman, hautement fictionnel et poétique, tout en exprimant les sentiments personnels de l'auteur, et en reflétant une réalité objective inéluctable, sollicite le lecteur à une prise de conscience (voire une participation) de ces sentiments et de cette réalité extérieure impliquée dans la fiction ? Il est par ailleurs assez évident que cette expression de sentiments, cette représentation de la réalité, et la sollicitation au lecteur ne se présentent pas comme telles de façon directe et obvie, mais qu'elles sont enveloppées, et en partie occultées, par le code ou le style d'écriture romanesque adopté par le romancier. Décoder ces diverses significations pour en percevoir plus clairement la teneur et la portée, c'est proprement la tâche du lecteur, mais le romancier ne s'est pas dissocié de cette tâche complémentaire, puisque, comme nous avons pu le constater dans le texte cité au début de cette introduction, il s'est soucié d'amorcer le décodage en nous livrant au passage maints indices de ses procédés de codage. Si ces indices ne sont pas suffisants pour dévoiler à première vue, ou à première lecture, toutes les significations du message, ils s'offrent comme une invitation à pénétrer plus avant dans la teneur "cryptique" de la "dérive noématique" de l'écrivain. C'est ce que nous tenterons de faire dans les pages qui suivent, soit de donner à l'oeuvre écrite ce complément de lecture qu'elle postule et sans lequel, comme un message non, ou imparfaitement, capté, elle s'avérerait incomplète.

Photo de Radio-Canada, Aquin interprétant un personnage de *Faux bond* en 1967

II

LA FONCTION ESTHETIQUE

Rappelons au départ que fonction poétique, fonction esthétique, fonction littéraire sont pour nous, à toutes fins pratiques, équivalentes, puisqu'Aquin, nous ne pouvons en douter, voulant dans ses romans, faire oeuvre littéraire, vise une fin esthétique, entend créer une oeuvre de langage, livrer un message écrit qui se distingue de la communication courante. Il nous propose en somme une entreprise poétique, soit une construction verbale qui ne possède pas une valeur de signification référentielle immédiate, mais s'offre d'abord elle-même comme un centre de rayonnement polysémique, centre auquel il faut s'arrêter en premier lieu comme objet d'attention, si on veut percer et saisir sa multiplicité signifiante. De par sa présentation et sa nature même, étrange complexe de suggestions ambiguës, le roman aquinien ne laisse guère de doutes sur la visée de l'écrivain qui devient nécessairement, par la force des choses, celle du "message en tant que tel, l'accent mis sur le message pour son propre compte", selon la définition jakobsonienne de la fonction poétique. Suivant cette définition, "puisque les rapports des signes esthétiques au *denotatum* sont beaucoup plus diffus que le rapport des signes non esthétiques au concept ou à l'objet signifiés, l'attention du récepteur est dirigée sur la composition du texte esthétique lui-même. Le signe esthétique est ainsi polysémique autant qu'auto-orienté [1]."

On retrouvera sans peine un écho de cette conception de l'oeuvre esthétique dans l'affirmation d'Aquin à Jean Bouthillette : "Etre écrivain pour moi, c'est simple : j'écris parce que j'y trouve du plaisir. Sinon, je n'écrirais pas. Et de plus, s'il fallait que le public n'y trouve pas le sien, ce serait absurde d'écrire, non [2]?" Ce plaisir à *trouver*, tant par l'artiste que par le public, tous les écrivains racés, que ce soit Rabelais, LaFontaine, James Joyce ou Emily Dickinson, l'ont éprouvé et exprimé comme raison d'être profonde de leur entreprise. Où l'écrivain peut-il chercher ce plaisir, sinon dans une utilisation particulière du langage, dans des constructions verbales originales qui se distinguent comme créations nouvelles, inusitées, de la communication courante, utilitaire ? C'est dire que ce qui l'intéresse, ce qui le motive prioritairement, ce n'est pas tant ce qu'il a à dire, soit le contenu de son message (même si ce contenu existe toujours implicitement, par la force des choses), mais bien plutôt la façon de le dire. "Et puis, écrivait LaFontaine dans la présentation de ses *Contes*, ce n'est ni le vrai ni le vraisemblable qui font la beauté et la grâce de ces choses-ci ; c'est seulement la manière de les conter [3]." De même Aquin dira :

> *La littérature est une sorte de formalisme dans lequel le contenu est secondaire. L'idée d'écrire un roman me vient plus par la forme que par le contenu. Je ne cherche pas quoi dire, mais comment le dire. [...] Pour moi, un romancier doit courir après les formes. Le contenu, il l'a en lui et il le sort dans la forme choisie [4].*

Cette poursuite de la "manière" ou de la "forme", cette jouissance formelle qui inspire l'écrivain avant de se communiquer au lecteur par le truchement de l'oeuvre, voilà la quintessence de ce qu'on appelle le plaisir esthétique. Encore faut-il que le lecteur entre en connivence avec l'auteur, en acceptant que son attention de récepteur ou de décodeur, correspondant à celle de l'émetteur ou encodeur, soit "dirigée sur la composition du texte esthétique lui-même." Ce n'est qu'en vertu de cet état de grâce préalable, par cette acceptation du statut particulier accordé à l'écriture, que le lecteur pourra communier à la substance poétique de l'oeuvre, la rejoindre dans sa fonction propre, dans sa littérarité (la "litereturnost" des formalistes russes), essentiellement multifonctionnelle et polysémique.

Si la littérarité du texte littéraire en fait une oeuvre aux multiples fonctions et significations, rappelons que sa fonction dominante, la fonction esthétique, en fait un objet, ou un système autonome de signification, dont les diverses possibilités signifiantes ne peuvent s'actualiser que par la reconnaissance préalable de l'autonomie de ce système. C'est dire qu'un message esthétique commande et exige ses propres normes pour être validement reçu, puisque, par rapport aux codes conventionnels du langage courant, ou non-esthétique, il implique nécessairement un "processus qualitatif et relationnel de déformation et de désautomatisation [5]". Tout en utilisant le même matériau que la communication commune, soit la langue d'usage, le message esthétique le fait de façon relativement autonome, se constituant en système auto-orienté, distinct des autres systèmes, y compris celui des usages reçus de la langue courante.

Cette auto-orientation du message esthétique entraîne nécessairement un phénomène qui se situe au coeur de l'approche de Jakobson et des théoriciens du Cercle de Prague, celui de la violation des règles.

> *Alors que, nous dit Winner, dans des textes non esthétiques, les normes et les néologismes peuvent cohabiter, comme des variantes stylistiques, dans les textes esthétiques, les violations de normes constituent [...] l'un des principaux moyens pour créer le plaisir esthétique qui requiert le déplaisir esthétique comme contrepartie. En contraste avec l'art folklorique [...], les textes d'art "élevé" manifestent toujours une tension entre la conservation et la violation des normes. Bien que le poids proportionnel de ces deux forces varie selon les écrivains et les périodes, les deux éléments sont toujours présents* (6).

On n'a pas à s'aventurer bien loin dans les textes romanesques d'Aquin pour saisir l'autonomie qu'ils revendiquent à l'égard des normes conventionnelles, tant celles du langage usuel que celles des formes romanesques habituelles. Le lecteur ne peut sensément y persévérer à moins de reconnaître et d'accepter qu'il est introduit dans un monde nouveau, un univers textuel où les normes reçues ne suffisent plus à assurer une communication valable. Encore faut-il dire que dans le cas de notre romancier québécois, la révolution inhérente au projet esthétique s'appuie pour une bonne part, (s'enracine, ou se fonde vaudrait-il sans doute mieux dire) sur une autre révolution, dans un sens plus profond et plus personnel, qui fait s'insurger l'artiste contre les conditions socio-politiques de son milieu (7). On saisira tout le sens et la profondeur de ce mouvement intime de rébellion, si l'on songe qu'avant la publication de son premier roman, l'écrivain va jusqu'à refuser la littérature elle-même, pour lui contester le statut d'acquiescement que lui confère l'ambiguë dialectique d'une société de domination. "Au fond, écrit-il alors, je refuse d'écrire des oeuvres d'art, après des années de conditionnement dans ce sens, parce que je refuse la signification que prend l'art dans un monde équivoque. Artiste, je joue le rôle qu'on m'a attribué : celui du dominé qui a du talent. Or, je refuse ce talent, confusément peut-être parce que je refuse globalement ma domination (8)."

"Confusément peut-être"... Le fait est que l'artiste revisera cette position radicale (dans des conditions et pour des raisons que nous aurons l'occasion de voir plus en détail), pour avouer à Jean Bouthillette, après la parution et le succès de son premier roman, qu'il "accepte maintenant d'être écrivain [9]." Même si la confusion persiste dans la position de semi-castration faite à l'écrivain par la société, Aquin assume cette position parce que, dans une optique révisée à la suite d'une première réussite, il compte en faire un tremplin vers d'autres tâches que ces "fonctions d'officiant" où le confineraient les conceptions ambiantes. "Après la parution et l'impact de *Prochain Episode*, dit-il, j'ai accepté d'assumer activement cette identification. Le milieu agit sur moi comme si j'étais écrivain ; alors je dois l'être [10]." Dans le style d'une époque pas si lointaine, on dirait que l'artiste, après avoir refusé l'appel spécieux de la grâce littéraire, finit par accepter sa vocation. Ce n'est pas qu'il y voie le repos paresseux d'un salut assuré, mais c'est au contraire la possibilité de relancer sa résistance sur une nouvelle base positive qui l'incite à "assumer activement" sa mission de romancier. Une première tentative réussie d'écriture révolutionnaire lui a servi, semble-t-il, de ballon d'essai (*post factum*, sinon en vertu d'une intention préalable) pour l'amener à entrevoir les éventuelles répercussions subversives de son entreprise romanesque. "Remarquez, avoue-t-il à Jean Bouthillette, qu'il y a un aspect positif à tout cela et qui peut, à la longue, jouer contre la société qui se croit protégée : l'écrivain est générateur de conscience ; il questionne, trouble, remet en question, renverse les valeurs acquises [11]."

On le voit par de tels propos et intentions, parler de la fonction esthétique, comme caractérisant l'usage littéraire de la langue, et se définissant, dans les termes de Jakobson, par "la visée du message en tant que tel" ou "l'accent mis sur le message pour son propre compte", ce n'est pas pour autant nier les autres facteurs et fonctions du message littéraire ; ces facteurs et fonctions, malgré leur rôle subsidiaire par rapport à la fonction poétique dominante, n'en gardent pas moins une très grande importance dans la conception et la réalisation de l'oeuvre, comme nous aurons l'occasion de le constater par la suite.

Ici se pose pour l'oeuvre romanesque d'Aquin une question qu'il importe d'élucider : s'agit-il de littérature militante, d'une oeuvre "engagée", comme on a l'habitude de dire ?... Oui et non, pourrait-on répondre : oui, en ce sens que l'oeuvre sera toujours, plus ou moins, et selon des modalités variables, prégnante des convictions de l'auteur, non, si l'on entend par là que le souci militant de la propagande l'emporte sur la poursuite artistique.

A première vue, il semblerait en effet qu'en 1963, la raison du "refus d'écrire" d'Aquin réside dans le fait qu'à ses yeux la littérature, loin de représenter une activité valable en soi, constitue pour le Canadien français, un leurre et un piège inéluctables. C'est avec un accent non équivoque de conviction qu'il affirme : "Quelque chose d'autre m'importe, un au-delà littéraire qui n'est pas une métalittérature, ni un nouveau déguisement de la vieille ambition, mais qui est la destruction du conditionnement historique qui fait de moi un dominé (12)." Encore faut-il remarquer que ce contre quoi l'écrivain contestataire en a, ce n'est pas tant la littérature en tant que telle, mais bien le "conditionnement historique" dans lequel, par la force des choses, elle doit nécessairement — c'est du moins ce qu'il croit à cette époque — s'exercer au Canada français : "La pratique littéraire, en situation coloniforme, exprime un comportement d'accep-tation (13)."

Ce "quelque chose d'autre", cet "au-delà littéraire", soit la dénonciation de la "situation coloniforme" qui piège la littérature et l'émascule, en l'intégrant au régime de domination, si l'écrivain y tient au point de s'interdire l'écri-ture, on pourrait croire qu'il pose ainsi un impératif ou une valeur supérieure à laquelle la littérature serait subordonnée ; elle ne serait donc plus cette fonction autonome et auto-orientée du langage, mais une activité ancillaire ordonnée à des objectifs socio-politiques prioritaires. Comprendre ainsi les choses serait se méprendre tant sur la position pratique que sur les vues théoriques de notre romancier. A y regarder de plus près et à bien y songer, il s'agit plutôt d'une revendi-cation en faveur de la priorité littéraire, puisque ce que l'écrivain refuse, c'est précisément le fait que la littérature soit inféodée à un système ou à un "axe de domination", comme il dit.

Refuser la littérature, c'est refuser cette dialectique d'assujettissement de l'art littéraire qui le réduit à n'être plus que "le pain par excellence des dominés, production symboli-que dont on concède le monopole au dominé, ce qui entraîne inévitablement une surproduction (14)." C'est de cette surproduction amputée, castrée, que l'écrivain veut se désolidariser par son refus d'écrire, réclamant ainsi le droit de l'oeuvre littéraire à une représentation non entravée, libre et entière de ce que Georges Lukacs appelle "la vision du monde propre à l'auteur (15)''. Ce que l'écrivain récuse en fait, à l'époque troublée où il écrit ces propos (16), c'est l'impossibilité d'écrire une oeuvre d'art qui ne soit pas réduite à un geste de complicité — consciente ou non — envers une situation socio-politique d'aliénation nationale. Bien loin donc de nier la primauté formelle de l'oeuvre littéraire, ou de vouloir la subordonner à une cause étrangère ou extrinsèque, c'est cette même primauté qu'il défend ; et le désarroi qui le conduit au refus d'écrire consiste précisément en ceci qu'il ne voit pas, "en ce moment" où il se désiste, comment il pourrait en produisant une oeuvre, maintenir intègre cette primauté. On le voit bien dans le texte suivant qui, tout en répétant la position protestataire, affirme nettement la formalité spécifique et autonome de l'oeuvre, dont l'absence précisément constitue l'essentielle signification du refus :

> En me désaxant ainsi de la littérature, je me disqualifie moi-même et condamne d'avance ce que j'écris à n'être qu'une expression infidèle de mon refus d'écrire. Or, ce qui caractérise les oeuvres littéraires, c'est la nécessité formelle — l'urgence — invoquée par leurs auteurs. En dépit des protestations récurrentes de non-formalisme, les écrivains sont d'abord formalistes en ce sens que les formes qu'ils utilisent sont des suppôts de leur existence ; elles fondent l'unicité des auteurs. Hors de la littérature axiale, la forme des oeuvres écrites devient secondaire, inimportante, choisie souvent selon les circonstances ou, ce qui est mon cas en ce moment, inchoisie et indésirée (17).

Ce qu'on voit nettement se profiler ici, c'est cette dialectique écriture-pays qui marquera par la suite, avec des intensités variables mais avec constance, l'oeuvre romanesque d'Aquin. Ce n'est pas qu'il conteste à l'écrivain le droit d'orienter librement son oeuvre comme il l'entend ; il dit bien dans le même article, "Profession : écrivain", à propos de "l'aventure... de notre monde intérieur" présentée par Jean Simard comme l'objectif de son oeuvre littéraire : "On ne saurait mieux formuler le droit inaliénable des écrivains à disposer de leurs soirées à la maison (18)." Avec quelque ironie, il est vrai, Aquin n'en atteste pas moins ainsi sa croyance dans la liberté de l'écrivain et l'autonomie de l'oeuvre, tout en se défendant, toujours dans le même article, de prêcher "l'engagement politique obligatoire pour les écrivains", engagement qui lui répugne tout autant que le service militaire obligatoire. Mais quant à lui, sa position est aussi nette qu'incisive — ce qui explique l'accent moqueur à l'adresse de l'option dilettante à la Simard :

> *L'axe du pays natal coïncide implacablement avec celui de la conscience de soi. Je ne crois plus à l'immunité scripturaire qui dispense l'écrivain — engagé exclusivement dans son oeuvre — d'habiter son pays. Il est stérile de n'utiliser son propre pays que par tranches de vie qui, par leur statut anthologique, établissent nettement le déracinement de l'écrivain* (19)."

La nécessité pour l'écrivain d'inscrire son oeuvre dans le courant historique de son temps, de l'élaborer selon une "perspective" qui en fasse le juste reflet de la réalité ambiante, voilà en somme ce qu'Aquin revendique ici, rejoignant ainsi une idée maîtresse de Georges Lukacs pour qui "aucune oeuvre d'art ne saurait... refléter le réel de façon adéquate sans une mobilité concrète, concrètement orientée dans une certaine direction (20)." On comprendra encore mieux la position du romancier québécois — position qui, au moment où il écrit son refus d'écrire, pour des raisons émotives marquant l'ardeur de sa conviction, paralyse son pouvoir de création — en lisant la suite du texte du même Georges Lukacs :

> *Suivant les temps et les personnalités, cette exigence se traduit à travers une immense variété de styles. Mais c'est toujours de cette visée même de l'artiste, qui choisit et qui élimine selon le* unde *et le* quo *concrets de sa vie telle qu'il la vit, que surgissent l'intime liaison entre le sujet créateur et l'objectivité, ce saut dialectique qui le fait justement passer, des profondeurs des plus authentiques de son essence subjective interne, à l'essence objective (sous l'un de ses aspects essentiels) de la réalité sociale et historique* (21).

Il ne fait guère de doute que pour Aquin, cette intime liaison requise "entre le sujet créateur et l'objectivité", ce "saut dialectique" postulé par Lukacs de l'essence subjective de l'écrivain "à l'essence objective de la réalité sociale et historique", réside essentiellement dans cette proposition selon laquelle "l'axe du pays natal coïncide implacablement avec celui de la conscience de soi." Autrement dit, il ne saurait être question pour lui, en tant qu'artiste écrivain, dans la conjoncture historique présente du Canada français, de concevoir une oeuvre littéraire qui se dissocie de cette conjoncture, sans verser par le fait même soit dans la béate insignifiance soit dans la plus ou moins consciente complicité avec un régime d'asservissement national.

Ayant, à ce stage de notre démarche, suffisamment établi la convergence entre la conception aquinienne de l'oeuvre littéraire et celle de la linguistique structurale, ayant eu par la même occasion à dissiper l'ambiguïté latente de la littérature engagée, ou subordonnée, une question subsiste qu'il importe d'élucider. Comment expliquer en effet que, malgré sa protestation de refus en 1963, Aquin n'en soit pas moins venu, dès l'année suivante, à écrire son premier roman ? Déjà, dans ledit article certains indices pointaient vers un renversement possible de la position négative : d'abord le simple fait d'annoncer par un écrit un refus de l'écrit comportait un paradoxe qui, loin d'échapper à l'écrivain, s'inscrivait au contraire dans l'effet de choc prévu et voulu ; à preuve ce que très délibérément et narquoisement il en dit : "Le bon petit Canadien français promis à un brillant avenir dans des choses frivoles entreprend soudain de produire un écrit dominé par une thématique de refus d'écrire, non-sens qui ne saurait accéder à une signification que par l'explosion simultanée de tous les bâtons de dynamite qui pourrissent actuellement dans les arsenaux de la province de Québec [22]." Puis, certaines réflexions sont déjà là pour suggérer que, le cas échéant, la difficile et juste formule étant trouvée, l'oeuvre pourrait bien trouver sa voie vers une expression jugée valable. Entre autres : "Un jour, sait-on jamais ? il nous sera peut-être donné d'écrire sainement ; d'écrire et que cela soit autre chose qu'une distraction désolidarisante [23]."

Mais, comment, de fait, le premier roman, et les trois autres qui le suivirent en l'espace de dix ans, ont-ils réussi à se produire, après et malgré ces protestations de refus ? En bref, on pourrait répondre, si paradoxal que ça puisse paraître : en vertu de la même logique, voire — du moins pour le premier — en vertu de la même attitude de protestation contre la domination, avec la différence cette fois que le refus au lieu de s'appliquer à l'oeuvre comme objet intermédiaire et symbolique, a trouvé moyen tout en lui gardant son caractère d'autonomie artistique, de l'orienter, cette oeuvre, selon la perspective prioritaire de "l'axe du pays natal".

Au moment du refus d'écrire, ce qui paralyse l'écrivain, c'est l'antinomie qu'il voit entre l'urgence d'une situation sociale et politique tendue et la relative insignifiance de l'activité littéraire : le conflit, l'incompatibilité qui lui semble alors irréconciliable, entre l'action révolutionnaire et l'exercice de l'art, jugé par trop gratuit et inefficace. L'opposition en somme entre son inclination à l'action concrète, efficace et son désir de sauvegarder l'essence proprement artistique de l'oeuvre littéraire ; essence qu'il avait tenu à réaffirmer l'année précédente en déclarant : "La littérature... est... une entreprise solitaire, grave, profonde, et nous tenons pour essentiel d'en préserver son caractère unique d'oeuvre d'art (24)." Ce qui lui semblait moins clair à l'époque, c'est ce qu'il avait pourtant aussi affirmé quelque temps auparavant, à savoir que "la parole est une forme de vie, et par ce biais magnifique, un mode d'action (25)." Il ajoutait ceci, où pointe quand même le doute qui s'amplifiera jusqu'au "refus" : "Chose certaine, il n'y a pas plus de vanité à écrire qu'à agir, d'autant que ce qui relève de l'action émane d'un ordre créé par la pensée (26)."

Il reste que cette "chose certaine", qui lui faisait aussi dire qu'il n'attendait pas "des révolutionnaires à mitraillettes ou à képis, mais des révolutionnaires qui n'ont pas plus peur des mots que des réalités (27)", cette croyance en la valeur d'action de l'écriture, en viendra à s'estomper dans la période critique où s'exerce la participation d'Aquin aux activités indépendantistes du R.I.N. et du F.L.Q., soit dans les années précédant son arrestation pour port d'arme à l'été 1964, suivie de son emprisonnement, puis de son internement à la clinique psychiatrique. Ce sont pourtant ces dernières circonstances qui ont amené l'écrivain à surmonter son "refus

"JE NE SAIS vraiment pas si je continuerai à écrire..."
(Photo Géracimo)

Photo parue dans *Québec-Presse* en 1974

d'écrire" et à retrouver ses convictions déjà énoncées sur la conciliation possible entre écriture et action. On sait en effet que c'est au cours des trois mois passés à l'Institut Prévost qu'il écrivit son premier roman, *Prochain Épisode*. Patricia Smart a très bien exposé la façon complexe dont la réconciliation s'est faite par le truchement de ce premier roman. Sans entrer dans le détail de l'analyse, qu'il suffise pour le moment de citer le résumé qu'elle présente du processus selon lequel le roman trouve moyen de s'insérer, voire de s'incorporer dans la réalité socio-historique, sans aucunement renier sa propre spécificité artistique :

> *Si*, écrit-elle, *dans la perspective de l'impossible situation collective, les élans lyriques du narrateur apparaissent comme mensongers, il est tout aussi vrai de dire que ni le révolutionnaire ni l'artiste ne peut se permettre de succomber à la réalité prosaïque d'une situation sans issue. C'est entre ces deux styles, et entre les espaces-temps du mythe et de la "préhistoire" que se situe la vérité du roman. Amené par la distanciation ironique vers ce lieu intermédiaire, le lecteur entrevoit une nouvelle possibilité de synthèse, dans une perception dialectique de l'art et de l'action comme deux aspects complémentaires du processus historique* [28].

Comme on voit, les deux préoccupations majeures de l'écrivain : maintien du caractère spécifique de l'oeuvre d'art, et souci de garder à cette dernière un contact vital avec "l'axe du pays natal", ces deux exigences qui, pour un temps, lui ont paru incompatibles, il a trouvé moyen de les marier au sein même du texte romanesque. Mariage non facile, certes, mais d'autant plus heureux que, le difficile dilemme une fois résolu, il permet à l'artiste de se réaliser en tant que tel, non moins qu'à la patrie élue de trouver dans cette victoire de l'art une vision positive et stimulante de sa condition problématique.

Ici encore, le commentaire de Patricia Smart montre bien comment le roman aquinien, tout en assurant la prépondérance de la fonction esthétique, réussit à intégrer dans sa texture même la dimension, jugée par son auteur indispensable, de "la dialectique historique qui... définit... le Canada français comme culture globale [29]." Voici en effet ce qu'elle écrit à propos de *Trou de Mémoire*, le deuxième roman d'Aquin, où se poursuit, s'élargit et se complète,

peut-on dire, cette entreprise de conciliation, amorcée dans
Prochain Episode, entre les exigences de l'art et celles de
l'action :

> *Bien que, comme tout ouvrage artistique [...] ce
> roman subira d'imprévisibles métamorphoses et
> assumera de nouveaux sens pour des publics éloi-
> gnés dans le temps et l'espace, il est construit de
> telle façon qu'on ne saurait le détacher de son
> milieu historique et culturel sans passer à côté
> de son sens premier : celui du dialogue amoureux et
> lucide entre un auteur et un peuple en voie vers
> la libération* [30].

"Dialogue amoureux et lucide entre un auteur et un
peuple", voilà qui caractérise bien, croyons-nous, l'inspiration
maîtresse du romancier Hubert Aquin, dans ses deux premiers romans plus particulièrement. Comment l'artiste, par
le truchement de l'écriture même de ce double dialogue
romanesque, en est arrivé à résoudre l'impasse du silence
contestataire pour produire une oeuvre qui ne fasse pas
moins justice à ses dons exceptionnels d'écrivain qu'à sa
quête passionnée de fierté nationale, Patricia Smart l'a bien
expliqué dans sa pénétrante étude. "Bien que, dit-elle en
résumé, leurs pespectives contradictoires ne se réconcilient
que dans un point de fuite qui se dérobe dans l'avenir historique, *Prochain Episode* et *Trou de Mémoire* nous rapprochent
de ce moment de réconciliation [31]." Le complexe et savant
cheminement créateur, de même que la rare et originale
réussite de l'accession à ce réconciliateur "point de fuite"
sont très subtilement indiqués dans la phrase qui suit : "Par
leur forme-énigme, ils [*Prochain Episode* et *Trou de Mémoire*]

Traduction anglaise de Penny Williams parue à Toronto en 1967

nous engagent dans un processus de découverte et de création au cours duquel nous en venons à rassembler les fragments de notre expérience et à saisir l'unité profonde de domaines apparemment opposés, tel l'art et la science, la politique et la vie intérieure, l'intellect et les émotions, le particulier et le général [32]."

Que dans une telle difficile aventure de rencontre positive entre un idéal esthétique personnel exigeant et un destin collectif problématique, Aquin ait lié sa vocation d'écrivain à celle du peuple québécois, (au point d'identifier sa tâche romanesque au sort de tous ses compatriotes) voilà ce qui marque la noblesse de son projet autant que l'ampleur de sa réussite. Réussite qui, entée sur un espoir national et y contribuant activement, représente incontestablement un important acquis au compte de cette "culture globale canadienne française", dont l'écrivain revendiquait en 1962 le droit au plein épanouissement [33]. Aussi faut-il souscrire à ses propos optimistes, quand il évoque lui-même la signification collective acquise par son oeuvre romanesque : "Le Québécois errant aura, un jour, terminé son errance intolérable : il n'en peut déjà plus de rejoindre son port d'arrivée, il veut en finir, il se presse en moi et me dicte l'itinéraire incertain de son voyage terminal, de son retour [...]. Il n'y a plus d'intrigue possible hors de cette hantise collective qui ressemble à l'espérance et au bonheur [34]."

On sent dans ces derniers propos la relative mais réelle satisfaction de la percée après la quête. C'est qu'en effet il y eut une sorte de trouée dans la création romanesque, suivant la période d'hésitation et de refus. Nous venons de voir, dans les grandes lignes, comment s'est opéré ce dépassement vers l'oeuvre : par et dans la réalisation de l'oeuvre même, dans laquelle l'artiste a trouvé moyen d'incarner ou d'informer, sans aucunement sacrifier l'autonomie formelle de cette oeuvre, l'essentiel de sa vision du monde, soit une forme esthétique adéquate, susceptible d'exprimer avec une suffisante vérité les problématiques relations entre une réalité historico-sociale incertaine et un art littéraire qui en soit le juste reflet.

Parler de percée, de trouée, d'accession à l'oeuvre, c'est évoquer particulièrement la fonction euristique des deux premiers romans, *Prochain Episode* et *Trou de Mémoire*, dans l'avènement et le développement de cette oeuvre. C'est en effet dans, et par, ces deux premiers romans que l'écrivain a, pour ainsi dire, établi sa formule romanesque, qu'après la phase d'hésitation et d'aphasie, il "a trouvé dans la dialectique la possibilité d'une esthétique formellement autonome et vraiment révolutionnaire [35]." L'esthétique choisie demeurera substantiellement la même dans les deux romans qui suivront, tandis que l'aspect révolutionnaire — du moins au sens politique et québécois —, s'estompera pour faire plus de place à une perspective élargie aux dimensions de la culture occidentale, jusqu'au point où dans le dernier roman, *Neige noire*, le thème du pays, avec son absence de contexte historique, son silence et son amnésie [36], ne sera plus mentionné explicitement que par une brève parenthèse.

Mais qu'en est-il, au fait, de cette formule romanesque, cette "esthétique vraiment révolutionnaire" adoptée par le romancier ? C'est ce que nous devons maintenant examiner de plus près.

TROU DE MÉMOIRE

Dédicace à Gaëtan Dostie

Photo prise au lancement de *Trou de mémoire* à la Bibliothèque nationale du Québec en 1968

III

L'OUVERTURE BAROQUE

Dire qu'Aquin a opté pour l'ouverture d'un style baroque, ce n'est peut-être pas, de prime abord, dire beaucoup, mais c'est au fond tout dire. C'est en tout cas ce qu'on ne doit absolument jamais perdre de vue, si l'on veut saisir quoi que ce soit à son oeuvre romanesque. Car ces deux aspects : l'écriture baroque et la conception ouverte représentent les deux composantes formelles essentielles de cette oeuvre, les deux piliers fondamentaux qui en assurent tant la structure d'ensemble que les grandes significations.

Par opposition à la conception classique de l'art, qui impose à l'oeuvre une forme définie, fixe, arrêtée, substitut rationnel idéalement et fictivement stable de la réalité, la conception baroque tend plutôt vers une forme indéfinie, débordante, changeante, reflet de la fascination émotive exercée par les apparences variables d'une réalité diverse, mouvante et trompeuse.

Plutôt que de se donner l'illusion rassurante de figer le monde extérieur en une oeuvre arrêtée, statique, l'artiste baroque préfère introduire dans l'oeuvre même quelque chose des apparences trompeuses inhérentes à la réalité. Selon cette sensibilité, ouverte aux attraits du mouvement et au charme de ses illusions, "la perspective [...] n'assure pas le monde réel mais l'ébranle et accorde le plaisir de perdre pied non point pour réaliser l'apparence mais pour donner à toutes les apparences une réalité complémentaire et faire sentir la relation profonde qui unit l'être au paraître (1)."

Il ne fait pas de doute que l'esthétique baroque soit inspirée d'un refus des impositions rigides de la raison et de la norme reçue, dans lesquelles elle voit une violence indue, une tyrannie exercée contre les droits innés de la vie à s'épanouir et se manifester dans ses multiples tendances. Eugenio d'Ors ira jusqu'à dire que "l'attitude baroque, au contraire de l'attitude classique, souhaite d'une manière fondamentale l'humiliation de la raison", ou encore : "l'esprit baroque s'écrie désespérément : 'Vive le mouvement et périsse la raison !' Car il faut choisir et brûler les nefs derrière soi.

Entre la Vie et l'Eternité il faut choisir [2]."

Il ne sera guère difficile de trouver dans les écrits d'Aquin des échos très nets de cette position révolutionnaire de l'attitude baroque, position et attitude qui se situent au coeur même de son oeuvre.

> *Le problème pour l'écrivain*, dira-t-il, *c'est de vivre dans son pays, de mourir et de ressusciter avec lui. La* révolution *qui opère mystérieusement en chacun de nous débalance l'ancienne langue française,* fait éclater *ses structures héritées qui, par la* rigueur *même de ceux qui les respectaient, exerçaient une* hégémonie *unilatérale sur les esprits. L'ancienne oeuvre, prévisible, sereine et agencée selon* le chiffre d'or, *devient la proie des pires syncopes, celles-là même que mon pays révolu a connues et redoute, autant de nécroses dont on n'est jamais certain qu'elles seront suivies de genèses. Pendant cette période de troubles, comment l'écrivain pourrait-il terminer sa phrase de la façon qu'il l'avait prévue ? Tout change et menace de changer ; comment celui qui choisit d'écrire peut-il encore persévérer dans son idéal d'oeuvre inchangée et prioritaire... à moins de se condamner à produire une sorte de monument historique ? L'oeuvre littéraire n'a rien de transcendant, notre aventure collective non plus. [...] Ecrire des romans non-souillés par* l'intolérable quotidienneté *de notre vie collective et dans un français antiseptique et à l'épreuve du choc précis qui ébranle le sol sous nos pieds, c'est perdre son temps* [3].

C'est nous qui avons souligné dans ce texte révélateur les termes caractéristiques de l'insurrection contre les diktats de la norme établie et passivement reçue. Contre la stagnation soporifique et mortelle, l'écrivain opte délibérément pour le mouvement et l'éclatement des formes, caractéristiques de l'esthétique baroque.

On saisira encore mieux l'envoûtante fascination exercée sur Aquin par les possibilités subversives et révolutionnaires de l'art baroque, si l'on songe que la notion même de baroque, issue de l'architecture et de la sculpture, n'a été que tardivement acceptée par les historiens et théoriciens de la littérature, tant elle semblait contraire et hostile aux théories littéraires traditionnelles. Conformément à l'acception courante péjorative du terme, et aux vues du maître italien

Benedetto Croce, le baroque, en architecture, en sculpture et en peinture, devait être pendant longtemps déconsidéré "comme une des variétés du laid", un "style pathologique", une "vague de monstruosité et de mauvais goût", une "décomposition du style classique de la Renaissance (4)". On soupçonne que cette conception traditionnelle du baroque, dont quelque chose a quand même filtré dans une notion réhabilitée, ait exercé sa part d'attraction auprès de l'écrivain québécois et de ses aspirations iconoclastes. Mais il ne fait pas de doute qu'entre "deux styles correspondant à deux conceptions de la vie nettement opposées : le style classique, tout d'économie et de raison, style des 'formes qui pèsent', et le baroque, tout musique et passion, grand agitateur de formes 'qui s'envolent' (5)", ce soit aussi les possibilités particulières de création et d'action du second qui aient déterminé le choix de l'artiste révolutionnaire. C'est ce qu'a bien vu et formulé Patricia Smart :

> *L'esprit baroque est donc ironique et lucide ; sa vision du monde est dialectique ; son oeuvre est ouverte et mobile. Ce dynamisme rend possible chez Aquin une conception de l'engagement littéraire qui respecte l'autonomie formelle de l'oeuvre. Car, si le livre renvoie au réel et la réalité au livre, l'oeuvre littéraire, sans perdre son autonomie formelle, peut devenir un véhicule pour la transformation du réel* (6).

Nous aurons l'occasion de voir plus en détail par la suite la sorte d'utilisation éminemment habile et personnelle que fera Aquin des ressources de mobilité et d'ouverture offertes par une esthétique baroque. Pour le moment, il nous semble utile de rappeler, en guise de paramètres pouvant servir à mieux cerner et situer l'entreprise aquinienne, les critères génériques de l'esthétique baroque, tels que dégagés par Jean Rousset, à partir de l'achitecture du Bernin et de Borromini. Nous tenons à souligner, car c'est ici ce qui nous intéresse principalement, le fait que chacun des quatre "caractères essentiels de l'oeuvre baroque" ci-après définis par Rousset, correspond aux deux préoccupations fondamentales de notre romancier, soit, d'une part un mouvement des formes qui reflète une réalité mouvante en état d'évolution, et d'autre part une qualité d'ouverture de ces formes qui non seulement permette mais exige une intervention complémentaire du lecteur, constituant une action sur cette même réalité :

"1) L'instabilité
*d'un équilibre en voie de se défaire pour se
refaire, de surfaces qui se gonflent ou se
rompent, de formes évanescentes, de courbes
et de spirales.*

2) La mobilité
*d'oeuvres en mouvement qui exigent du spec-
tateur qu'il se mette lui-même en mouvement
et multiplie les points de vue (vision multiple).*

3) La métamorphose,
*ou, plus précisément : l'unité mouvante d'un
ensemble multiforme en voie de métamorphose.*

4) La domination du décor,
*c'est-à-dire la soumission de la fonction au dé-
cor, la substitution à la structure d'un réseau
d'apparences fuyantes, d'un jeu d'illusions* (7)."

Quoiqu'il ne soit pas si facile de voir comment peut se
faire la transposition de ces caractéristiques dans une oeuvre
littéraire, il n'est guère de description qui soit plus opportu-
ne et utile à se rappeler, quand on se trouve aux prises avec
la lecture d'un roman d'Aquin. Rien en effet n'est plus dé-
routant, ni plus fascinant, que ce mouvement perpétuel de
métamorphoses et d'illusions, traduit dans les fort décorati-
ves arabesques d'un langage éblouissant. Pour peu que le lecteur tienne à ce que la fascination éclairée l'emporte graduellement sur l'égarement, il lui sera sans doute utile aussi de se
rappeler ce sage avertissement de Rousset :

*Il faut bien voir qu'il existe un paradoxe baroque :
le baroque nourrit en son principe un germe
d'hostilité à l'oeuvre achevée ; ennemi de toute
forme stable, il est poussé par son démon à se
dépasser toujours et à défaire sa forme au moment
qu'il l'invente pour se porter vers une autre
forme* (8).

* * *

Il nous reste à considérer d'un peu plus près ce qu'on entend par une oeuvre ouverte. Essentiellement, c'est une oeuvre qui, au lieu de se parfaire dans l'écriture et de se clore dans la lecture, garde dans son écriture une certaine qualité d'imperfection, ou d'ouverture, exigeant, pour se parfaire, la participation active du lecteur, conçu comme co-agent nécesssaire à l'accomplissement de l'oeuvre. La formule de l'ouverture se trouve déjà en germe dans la phrase de Shakespeare : "To name is to destroy, to suggest is to create" ; formule qui sera reprise par les poètes symbolistes, dans les termes de Mallarmé : "Nommer un objet, c'est supprimer les trois quarts de la puissance du poème, qui est faite du bonheur de deviner peu à peu : le suggérer... Voilà le rêve [9] !"

On peut sans doute affirmer que l'oeuvre baroque, du fait qu'elle "n'est plus un objet dont on contemple la beauté bien fondée, mais un mystère à découvrir, un devoir à accomplir, un stimulant pour l'imagination [10]", comporte à peu près nécessairement l'ouverture, mais on ne pourrait prétendre pour autant qu'elle soit volontairement et consciemment ouverte ; tandis qu'avec le symbolisme (le mouvement poétique), on peut dire que "cette fois l'oeuvre est intentionnellement ouverte à la libre réaction du lecteur. Une oeuvre qui 'suggère' en se chargeant chaque fois de l'apport émotif et imaginatif de l'interprète [11]." D'une façon plus générale, il y a oeuvre ouverte quand la signification n'est pas arrêtée, fixée, fermée, mais demeure en germe, incomplète, *ouverte* à diverses interprétations possibles, mais non explicitement données par le texte même. C'est ce qu'explique bien Umberto Eco à propos du théâtre de Brecht, qui ne fournit pas de solutions, mais laisse au spectateur le soin de tirer lui-même ses propres conclusions critiques à la suite de ce

Hubert Aquin et Robert Elie à Radio-Canada en 1969

qu'il a vu : "Dès lors l'oeuvre est 'ouverte' au sens où l'est un débat : on attend, on souhaite une solution, mais elle doit naître d'une prise de conscience du public. L'"ouverture' devient instrument de pédagogie révolutionnaire [12]."

A qui se demanderait, devant cette définition de l'oeuvre ouverte, quelle est la raison d'être de son ouverture, il serait facile de répondre que c'est un enrichissement de sa signification et de son efficacité, soit purement esthétique, soit même pragmatique. On comprend dès lors que des écrivains qui, comme Brecht, Kafka, Joyce ou Aquin, engagent une partie substantielle de leur vie et de leur vision du monde [13] dans leur oeuvre, que ces écrivains pour qui la littérature n'est pas simple passe-temps marginal, mais une activité sérieuse tirant à conséquence, inclinent comme naturellement, ou nécessairement, vers une esthétique d'ouverture. Dans le cas qui nous intéresse présentement, celui d'Hubert Aquin, nous avons déjà cité ce qu'il écrivait, à la veille de son premier roman, de "l'au-delà littéraire" qui lui importait au plus haut point. Il répétera, au lendemain de *Prochain Episode*, avec non moins de force et de conviction : "L'univers artistique ou formel pour moi est secondaire. C'est la politique, au sens large, qui vient en premier, ou, si vous voulez, l'action [14]." C'est assez indiquer une (pour ne pas dire : la) direction majeure dans laquelle l'ouverture de son oeuvre devait s'orienter. D'une façon plus précise, Aquin dira encore, avant la parution de son premier roman, son désir de rompre cette "cohérence invisible" qui marque la dialectique de la domination : "Refuser cette cohérence, revient à choisir pleinement et irréversiblement l'incohérence. Faire la révolution, c'est sortir du dialogue dominé-dominateur ; à proprement parler, c'est divaguer [15]."

Ceci nous amène à discuter d'une question connexe de l'ouverture et qui a déjà été signalée à propos de la fonction esthétique du langage, celle de l'ambiguïté inhérente à la multiplicité et l'imprécision des significations latentes que comporte par définition la qualité d'ouverture d'une oeuvre.

Après avoir fait appel aux théories de la linguistique pour définir la fonction esthétique d'une oeuvre, il sera maintenant utile de recourir aux lois modernes de l'information, afin de mieux saisir la problématique de l'ambiguïté reliée à l'oeuvre ouverte.

De même que, nous l'avons déjà vu, une oeuvre baroque incline nécessairement vers l'ouverture, de même l'oeuvre ouverte, plus ou moins lourde d'une polysémie latente, comportera-t-elle obligatoirement sa part d'indétermination et d'équivoque. Puisque la raison d'être, la finalité de l'oeuvre ouverte réside dans l'enrichissement, tant qualitatif que quantitatif de la signification, la dialectique qu'elle instaure se ramènera à un débat entre la clarté et la richesse de la signification, ou pour employer les termes commodes de l'informatique, entre la clarté, la banalité de la signification et la richesse accrue de l'information. "La dialectique, dira Umberto Eco, entre *forme et possibilité de significations multiples,* où nous avons vu l'essence des oeuvres 'ouvertes' se réalise précisément dans ce mouvement pendulaire (16)." Et il ajoute : "En langage simple, le poète crée un système linguistique qui n'est pas celui de la langue dans laquelle il s'exprime, mais qui n'est pas non plus celui d'une langue inexistante : il introduit des modules de désordre organisé à l'intérieur d'un système, pour en accroître la possibilité d'information (17)." Cette introduction du "désordre organisé" dans le code de la communication, c'est ce qu'on pourrait appeler une entropie positive, un déséquilibre créateur, ordonné à une qualité supérieure d'information. Et c'est dans cette entropie, dans ce déséquilibre que réside précisément le noeud critique de l'ambiguïté. Noeud critique, disons-nous, car il faut tout de même que subsiste un certain niveau d'équilibre, une suffisante part de signification, pour que puissent se maintenir l'intelligibilité et l'efficacité de la communication.

Cet équilibre instable, ce "mouvement pendulaire" qui définit l'oeuvre ouverte, cette "oscillation [...] entre le pur désordre et un système d'[...] organisation originale du désordre (18)" doit nécessairement comporter un minimum de points de repère susceptibles d'assurer au lecteur son orientation dans l'accès aux significations virtuelles. C'est dire que "le problème [...] d'une dialectique entre forme et 'ouverture',

Hubert Aquin et Yves Dupré en 1976

entre libre *multipolarité* et permanence de *l'oeuvre* jusque
dans la variété des lectures possibles (19)", ce problème ne
pourra être résolu qu'à condition que, dans les termes d'Eco,
"la tendance au désordre qui caractérise de manière positive
la poétique de l'"ouverture', [soit] une tendance au désordre
dominé, à la possibilité comprise dans un *champ*, à la liberté
surveillée par des *germes d'activité formatrice*(20)."

Rien ne servira mieux à illustrer ces propos quelque peu
abstraits que de nous tourner vers un autre texte-témoin
d'Aquin, texte où se montre de façon exemplaire la difficile
dialectique ci-dessus évoquée entre une forme porteuse
d'information accrue et l'ambiguïté voulue, entretenue,
d'une signification apparemment diminuée. Nous pourrons
vérifier aussi la façon subtile dont l'écrivain, par son usage
extrêmement habile et audacieux du langage écrit, réussit
à maintenir au sein de l'ambiguïté des "germes d'activité
formatrice" qui permettent au lecteur d'accéder à "l'épipha-
nie" d'une signification amplifiée, proprement ce qu'on est
en droit de désigner comme une vision poétique de la réalité.
Le texte en question est extrait des premières pages de
Prochain Episode, où le narrateur-écrivain dans un moment
de solitude et d'attente, évoque, après un an de séparation,
la rencontre-revoir au même endroit (Lausanne-Ouchy) avec
son amante K, cette "femme blonde" à "la démarche
majestueuse" qui, nous le savons par ailleurs, incarne l'amour
turbulent et ardu d'une patrie québécoise équivoque :

> *Après douze mois de séparation et douze mesures*
> *d'impossibilité de vivre un mois de plus, après une*
> *nuit de marche depuis la Place de la Riponne*
> *jusqu'au niveau du lac antique et à la première*
> *heure de l'aube, nous sommes montés dans une*
> *chambre de l'Hôtel d'Angleterre, peut-être celle où*
> *Byron a chanté Bonnivard qui s'était jadis abîmé*
> *dans une cellule au château de Chillon. K et moi,*
> *inondés de la même tristesse inondante, nous nous*
> *sommes étendus sous les draps frais, nus, anéantis*
> *voluptueusement l'un par l'autre, dans la splendeur*
> *ponctuelle de notre poème et de l'aube. Notre*
> *étreinte aveuglante et le choc incantatoire de nos*
> *deux corps, me terrassent encore ce soir, tandis*
> *qu'au terme de cette aube incendiée je me retrouve*
> *couché seul sur une page blanche où je ne respire*
> *plus le souffle chaud de ma blonde inconnue, où*
> *je ne sens plus son poids qui m'attire selon un*
> *système copernicien et où je ne vois plus sa peau*

ambrée, ni ses lèvres inlassables, ni ses yeux sylves-
tres, ni le chant pur de son plaisir. Désormais seul
dans mon lit paginé, j'ai mal et je me souviens de ce
temps perdu retrouvé, passé nu dans la plénitude
occulte de la volupté [21].

Cette page, dont le caractère lyrique est indéniable, nous semble particulièrement intéressante en ce qu'elle concrétise avec brio les considérations antérieures concernant tant la fonction poétique ou esthétique, spécificatrice de l'oeuvre littéraire, que les propriétés de mouvement, d'ambiguïté et d'ouverture, caractéristiques du style baroque.

Un tel texte attire l'attention sur le message même qu'il véhicule, il est principalement une "mise en relief du message comme tel [22]" et constitue de ce fait un produit poétique du langage. Il suffit en effet, pour s'en convaincre, de songer que le lecteur, s'il ne porte d'abord son attention sur les ambiguïtés du texte, soit plus précisément sur les confusions, fusions, possibilités de diffusion de sens qu'il comporte, ne pourra pratiquement rien tirer ou comprendre de la richesse polyvalente (ou polysémique) du message transmis. *Confusion*, avons-nous dit ; le contexte où le présent texte s'insère en est déjà imprégné. A la fin du chapitre précédent, le narrateur-écrivain (n'est-ce pas aussi l'auteur ?), parlant du roman qu'il est en train d'écrire et de vivre, nous dit que "rien ne lui interdit de transférer sur cette oeuvre improvisée la signification dont son existence se trouve dépourvue et qui est absente de l'avenir de son pays [23]." Puis, se disant "enfermé" pour activités révolutionnaires, "emprisonné dans [sa] folie, emmuré [physiquement, mentalement ?...] dans [son] impuissance surveillée [24]", il se demande : "Combien de secondes d'angoisse et de siècles de désemparement

Photo prise au lancement de l'édition scolaire de *Prochain épisode* en 1969

[personnel ou national ?...] faudra-t-il que je vive pour mériter l'étreinte finale du drap blanc [linceul ou lit d'amour ?...] (25) ?"

On le voit, la confusion ne manque pas entre les divers thèmes et niveaux entremêlés de la communication : auteur-narrateur-héros, roman-action révolutionnaire, angoisse personnelle-collective devant la paralysie individuelle-nationale, aspiration à la libération par l'amour-la mort. Ce sont les mêmes thèmes que nous retrouvons dans notre texte, conservant les mêmes traits d'ambiguïté, mais comportant quand même certains éléments de *fusion*, ou "germes d'activité formatrice" susceptibles d'élucider le message et d'orienter le lecteur vers les significations latentes : l'amante-pays retrouvée, l'errance méditative dans la nuit d'une ville d'exil, la descente jusqu'à l'eau matricielle (26) et l'heure du réveil, la nuit d'amour, "notre poème", dans l'hôtel même où Byron a chanté les avatars de la liberté, puis le subtil retour du souvenir extatique à la trame fondamentale qui sous-tend et inspire toute la démarche du roman : la page blanche où doivent s'inscrire toutes les données, ci-devant évoquées, du message littéraire.

A ce point, c'est la *diffusion* du dit message qui s'amorce, diffusion rendue possible grâce à l'ouverture, préservée dans l'ambiguïté du texte, vers ses diverses significations possibles. Nous revenons ici à ces autres fonctions subalternes du langage littéraire, celles mentionnées dans notre introduction. Contentons-nous d'indiquer brièvement comment elles s'exercent dans le présent texte.

La fonction expressive, ou émotive, on la perçoit dans la détresse angoissée et la quête patriotique qui imprègnent projectivement tous les comportements et dires du héros.

Le simple fait que le sens du texte ne soit pas immédiatement accessible, mais soit encodé dans un langage particulier, et présuppose de ce fait la présence d'un lecteur susceptible de le décoder, constitue ce qu'on appelle la fonction conative.

Que la réalité objective extérieure soit l'objet d'une fonction référentielle du texte, on n'a, pour le croire, qu'à se rappeler les convictions politiques de l'auteur, exposées dans de nombreux articles de revues, ses activités indépendantistes, et son internement pour soupçons de participation aux premières vagues du terrorisme québécois des années soixante.

La fonction phatique, servant à établir ou à entretenir la communication, où la voir ailleurs que dans l'attraction exercée sur le lecteur par la fascinante virtuosité verbale déployée dans le texte ?

Quant à la fonction métalinguistique, visant à expliquer le code ou le langage particulier utilisé par l'écrivain, elle se retrouve dans ces éléments de fusion ci-dessus mentionnés, les métaphores ambiguës suggestives des diverses significations (le héros "couché seul sur une page blanche", la "splendeur ponctuelle de notre poème et de l'aube") et les allégories métonymiques symbolisant l'inspiration nationaliste (l'errance en pays d'exil, la rencontre amoureuse dans l'hôtel d'Ouchy où le poète Byron a célébré les gloires et déboires de la liberté).

Ce bref examen d'un échantillon du tissu complexe de l'écriture romanesque d'Aquin nous donne un aperçu plus concret de ce qu'on entend par l'ouverture de son esthétique baroque. Mobilité, métamorphoses, instabilité, splendeur décorative du verbe, ces caractères génériques du baroque selon Rousset, on a pu voir comment ils font partie intégrante de cette écriture. L'exemple choisi a encore permis de constater comment le roman d'Aquin, tout en exerçant principalement la fonction esthétique de communication autonome et auto-orientée, n'en fait pas moins leur quote-part aux fonctions secondaires de l'art du langage : expression des sentiments de l'auteur, sollicitation du lecteur, maintien de la communication, référence à la réalité extérieure, indications sur le déchiffrement du code employé.

Pour en arriver à une caractérisation plus précise et compréhensive de l'oeuvre aquinienne, il faudrait encore tenter de voir quelles pourraient être les lignes maîtresses, architectoniques d'une structure d'ensemble ressortissant à chacune de ses compositions romanesques. C'est ce que nous ferons par la suite, dans un examen plus détaillé des intrigues, des personnages, des interventions lyriques, et enfin du rôle intégrant et informant de l'écriture.

Edition princeps, 1974

Photo de Séguillon, 1965

IV

LES TEXTURES ROMANESQUES
PARTICULIERES

Prochain Episode

Après la parution de son premier roman, *Prochain Episode*, Aquin avouait dans une entrevue, en parlant des lecteurs et critiques : "Ils ont tous compris que j'avais joué sur mon autobiographie comme si c'était de la fiction [1]." Déjà, en effet, dans le premier et principal dédoublement qui amorce l'intrigue, se dessine clairement cet élément autobiographique, précédemment mentionné, consistant dans le problématique débat entre les exigences de l'action révolutionnaire et les sollicitations de l'écriture littéraire. On se rappellera que, antérieurement à son premier roman, la position du romancier en était une de refus, l'art d'écrire (et les autres arts) lui apparaissant, en milieu québécois, comme une forme de thérapie factice, complice de la domination. C'est encore là qu'il en est au moment d'entreprendre sa première oeuvre romanesque, et c'est précisément cette dialectique fondamentale (thème principal et principe de composition des deux premiers romans, comme on l'a déjà souligné) qu'on retrouve au coeur du sus-dit dédoublement initial, l'auteur-narrateur nous introduisant d'une part à ses réflexions sur l'écriture et l'art, le narrateur-héros nous faisant d'autre part participer à ses débats internes entre l'histoire et l'action. Dans ces dédoublements de personnages, auxquels correspondent les termes opposés de la problématique fondamentale projetée par l'écrivain dans son oeuvre, se trouve déjà esquissé, un premier élément de solution : si en effet, malgré son scepticisme du refus, l'écrivain consent à écrire, c'est qu'il a tout de même une certaine foi dans les vertus de l'écriture. Le fait est par ailleurs que l'oeuvre une fois terminée (sans l'être), par le fait même de s'être faite selon le procédé dialectique qui la fonde, elle aura réalisé la fusion des pôles antithétiques initiaux, en devenant elle-même un instrument d'action, sans quitter pour autant le plan artistique où elle se situe.

A propos de dédoublements (de l'auteur dans le narrateur, et du narrateur dans le héros révolutionnaire), il est toujours une certaine confusion qui subsiste : le lecteur souvent ne peut distinguer exactement qui parle. Cette incertitude n'importe pas tellement, puisqu'il appert assez tôt qu'au fond, c'est toujours Aquin, l'auteur, qui réfléchit, et livre, sous forme dialectique et le couvert de la fiction, le fruit de ses propres pensées, et le reflet de ses propres sentiments.

D'entrée de jeu en effet les pensées sont diffuses, les sentiments de détresse angoissée ; le texte se présente comme celui de l'écrivain Aquin, qui déjà annonce en les intriquant, les divers fils du tissu textuel :

> *Cuba coule en flammes au fond du lac Léman, pendant que je descends au fond des choses. Encaissé dans mes phrases, je glisse, fantôme, dans les eaux névrosées du fleuve et je découvre, dans ma dérive, le dessous des surfaces et l'image renversée des Alpes. Entre l'anniversaire de la révolution cubaine et la date de mon procès, j'ai le temps de divaguer en paix, de déplier avec minutie mon livre inédit et d'étaler sur ce papier les mots-clefs qui ne me libéreront pas* [2].

Il ne fait guère de doute que ce soit l'écrivain qui s'exprime ici, Aquin dans sa cellule de Prévost. Il a plus tard confié à Normand Cloutier : "J'étais complètement désidentifié, je dois le dire. Mais quand je me suis trouvé coupé de tout, eh bien ! je me suis trouvé voulant vivre encore, voulant vivre jusqu'au bout l'affaire pour en sortir. J'ai alors écrit *Prochain Episode*, où je récupérais les éléments de ma vie passée et les métamorphosais [3]."

Nous possédons là les données fondamentales de l'esthétique aquinienne dans *Prochain Episode* :

1) "vivre jusqu'au bout l'affaire pour en sortir", soit l'impasse ou dilemme entre l'impossibilité de l'art et celle de l'action révolutionnaire;

2) la transposition de la vie dans l'oeuvre par le truchement de la métamorphose verbale et esthétique.

Après l'entrée en matière visiblement inspirée des circonstances réelles dans lesquelles le roman s'est écrit, nous passons insensiblement aux considérations du narrateur sur la façon dont il entend écrire son roman d'espionnage, considérations qui constituent déjà la présentation ou l'introduction du roman. On est par le fait même engagé dans la première ambiguïté, celle entre l'auteur réel et le narrateur fictif, qui sera bientôt suivie d'une autre, entre le narrateur-écrivant et le héros agissant, deux ambiguïtés qui ne se résoudront jamais entièrement jusqu'à la fin du roman. Le "je" qui parle passe tour à tour et sans avertissement préalable de l'homme-révolutionnaire-romancier Aquin, à son double semi-fictif, narrateur écrivant un roman, puis au héros entièrement fictif, vivant les péripéties de ce roman qu'il écrit. Dans les fils de chaîne du tissu textuel déployé par ce "je" multiple viennent s'insérer les thèmes majeurs du roman, eux aussi entremêlés et problématiques, soit le pays, la révolution, l'amour et l'art. Quant à la trame d'espionnage qui vient compléter la texture romanesque, elle est elle-même farcie de mirages, de réflexions spéculaires d'allusions historiques, littéraires et artistiques intervenant dans une action haletante dont les motifs, les protagonistes et les aboutissements conservent toujours un hallucinant éclat d'imprécision et d'incertitude.

Après la disparition dans le récit de la plongée sous-marine dans le lac Léman (figurant la mise en question des valeurs absolues de l'art et de la révolution), les péripéties extrêmement mouvementées de l'intrigue d'espionnage viennent accentuer les éléments d'équivoque et de confusion. Le héros, qui a reçu de K la mission d'exécuter l'agent ennemi H. de Heutz, se retrouve prisonnier de ce dernier au château d'Echandens. Il réussit à désarmer son adversaire et à reprendre l'offensive grâce à une ruse d'apitoiement; il conduit son prisonnier dans le bois de Coppet, où il s'entend refiler par H. de Heutz la même histoire de déprimé-suicidaire qu'il avait lui-même exploitée. Ce dédoublement fascine et déroute le héros. Ebranlé dans sa détermination, ému d'une fraternelle sympathie pour sa victime, il n'ose appuyer sur la détente, et finit par s'enfuir à l'arrivée d'une auto conduite par une femme aux cheveux blonds.

De retour à Echandens, il rate un deuxième attentat contre H. de Heutz, l'énigmatique agent ennemi dont plus d'un indice suggèrent qu'il est le double du héros lui-même. Le rendez-vous avec K à l'hôtel d'Angleterre est aussi manqué. Le héros, de retour à Montréal, est emprisonné. Son roman reste sans dénouement. Il ne pourra se terminer que dans le "prochain épisode" de la révolution et du rendez-vous amoureux enfin réalisé avec K, la femme-pays retrouvée.

Cette histoire complexe aux multiples facettes se réduit donc à la fin à un triple échec, correspondant aux trois thèmes majeurs de l'intrigue :

1) La révolution québécoise reste en suspens, dans le meurtre manqué de l'ennemi de Heutz, dont l'identité précise et même la différenciation du héros restent douteuses.

2) La rencontre amoureuse est ajournée *sine die* avec la compagne révolutionnaire, identifiée au pays, partie mystérieusement sans laisser de trace, si ce n'est un billet dont la teneur laisse planer des doutes sur sa loyauté.

3) Le roman est incomplet, attendant le dénouement d'une révolution qui reste à faire.

Au niveau biographique du prisonnier frustré (dont le roman peut être conçu comme figurant l'expérience vécue et la quête intellectuelle), le triple échec correspondrait au triptyque suivant :

1) Le révolutionnaire déçu aspirant à combler les aspirations ancestrales encore confuses de son peuple ;

2) l'amant délaissé espérant quand même la reprise éventuelle du lien avec l'amante-pays ;

3) l'écrivain troublé ne sachant comment dénouer son intrigue.

Une dimension complémentaire qu'il ne faut pas oublier dans cette intrigue baroque, c'est (comme l'a bien souligné Patricia Smart [4]), celle du lecteur, sur laquelle débouche précisément la fin laissé ouverte du roman. Cette fin sans dénouement du roman nous laisse le tableau paradoxal d'un romancier héros qui a échoué dans son entreprise révolutionnaire mais qui a quand même réussi à écrire un roman dont la forme révolutionnaire et inachevée constitue en soi une valorisation de l'art. N'est-ce pas là, pour l'auteur du roman, une façon d'amener le lecteur à réfléchir sur les ambiguïtés d'une situation où un peuple aliéné, à demi aveuglé et paralysé par sa situation de dominé, ne peut se libérer de sa servitude ? Et si cette situation entrave toute action révolutionnaire efficace, l'écrivain qui sait la présenter de façon à stimuler la prise de conscience ne réalise-t-il pas par le fait même à sa manière, en tant qu'artiste, cette action politique à laquelle il aspire (5) ?

Trou de Mémoire

Il y a tout lieu de concevoir *Trou de Mémoire*, le deuxième roman d'Aquin, venu trois ans après *Prochain Episode*, comme une reprise des thèmes majeurs du premier roman, et un prolongement du débat sur les questions antérieurement posées. Le premier chapitre présente comme distincts les principaux personnages du récit, protagonistes dont les identités apparaîtront par la suite comme moins nettes parce que plus sujettes aux effets ambigus du dédoublement et de la métamorphose. Nous sommes donc encore et toujours dans les entrelacs de l'écriture baroque.

Ce premier chapitre consiste en une lettre d'Olympe Ghezzo-Quénum, pharmacien africain de la Côte d'Ivoire, adressée à Monsieur P.X. Magnant, pharmacien montréalais. L'occasion de la lettre est un discours politique prononcé par Magnant et reproduit dans le bulletin du parti nationaliste africain auquel appartient Ghezzo-Quénum. Premier élément de rapprochement et de confusion entre les deux personnages, le pharmacien ivoirien se plaît à souligner à son collègue québécois les similitudes relevées dans la notice biographique accompagnant le discours, qui l'incitent à se considérer comme un frère de son interlocuteur. En plus de pratiquer la même profession, les deux partagent les mêmes goûts littéraires et sont engagés dans leurs pays respectifs (le Canada français et la Côte d'Ivoire francophone) dans des activités révolutionnaires de libération nationale. Les deux se considèrent comme des colonisés récalcitrants, en rupture de ban avec "l'affreuse logique" de la domination du conquérant, prononcent des discours incendiaires pour inciter leurs compatriotes à la libération nationale. Autre détail contribuant au rapprochement et à la confusion : Ghezzo-Quénum, comme le romancier Aquin, a été emprisonné pour ses activités politiques, et libéré sous cautionnement, il attend son procès. Il a de plus rencontré à Lagos "une beauté blonde" montréalaise du nom de Rachel Ruskin qui, nous l'apprendrons par la suite, se trouve être la soeur de Joan, l'amante assassinée de P.X. Magnant.

Un quatrième personnage apparaît au bas des pages de ce premier chapitre, c'est celui de l'éditeur, dont les notes explicatives viennent apporter au texte quelques compléments d'ordre géographique et historique. Le rôle et l'identité de cet éditeur s'avéreront de plus en plus énigmatiques jusqu'à ce que, vers la fin du roman, on en vienne à de bonnes raisons de soupçonner qu'il soit un double camouflé de Magnant écrivant son roman. L'hypothèse n'en est pas pour autant confirmée, puisque RR (Rachel Ruskin) jouera éventuellement à son tour cè rôle de l'éditeur, laissant entendre qu'elle serait aussi l'auteur de ce qui était d'abord présenté comme le récit de P.X. Magnant, enrichi du journal de Ghezzo-Quénum. La seule issue qui finalement s'impose à cet imbroglio d'auteurs-acteurs-personnages dédoublés aux identités entremêlées, c'est qu'ils sont tous, en des fonctions et à des titres divers, les représentants ou les doubles du romancier-révolutionnaire Hubert Aquin, aux prises précisément avec sa problématique d'écrivain québécois qui, tout en se targuant d'écrire "par appartenance, non par engagement [6]", n'en oublie pas pour autant que "l'écrivain est générateur de conscience ; il questionne, trouble, remet en question, renverse les valeurs acquises [7]." Du même souffle, au moment même où *Trou de Mémoire* est sur le point de paraître, à l'automne 1967, Aquin ajoute : "Mon deuxième roman n'est pas politisé, mais il est essentiellement québécois [8]."

Rappelons les principales données de la problématique fondant la structure esthétique (baroque et ouverte) de *Prochain Episode*, soit d'une part le débat (angoissant pour son auteur) entre l'impossibilité de l'art, complice de la logique dominatrice, et celle de l'action révolutionnaire efficace, d'autre part la solution positive et partielle apportée à ce conflit paralysant en vertu de la percée artistique réalisée par ce premier roman même. Rappelons encore le dénouement non concluant de ce roman, dénouement laissé ouvert au triple plan de la révolution, manquée à réinventer, de l'amour du pays à retrouver et réanimer, puis de l'oeuvre romanesque à compléter, dans la foulée préalable de ces deux prémisses. Nous serons ainsi ramenés au point terminal de *Prochain Episode*, et initial de *Trou de Mémoire*, où le lecteur, de par l'esthétique ouverte du romancier, devait lui-même reprendre et poursuivre les données laissées en suspens par le roman, et les amener pour son propre compte jusqu'au point où sa réflexion personnelle pourrait leur apporter le complément requis d'une synthèse éclairante, relativement positive et satisfaisante.

Le point focal de la complexe dialectique de *Trou de Mémoire* réside dans la signification du titre même du roman, très nettement formulée par Patricia Smart :

> *Ainsi l'amnésie est l'autodéfense naturelle d'un peuple conquis, le refus inconscient d'affronter lucidement une situation qui semble sans issue. L'échec au passé se répercute sur le présent psychologique et institutionnel, bloquant du même coup l'accès à l'avenir. Se sentant privé de la possibilité d'agir, le conquis éprouve le réel et l'imaginaire comme paradoxalement renversés : la vie collective lui apparaissant comme une histoire "écrite d'avance" (p. 41), il ne trouve de débouché pour l'action que dans le domaine compensateur de l'imaginaire* [9].

Cette privation de la possibilité d'agir, voilà ce qui caractérise, on pourrait même dire : constitue, la personnalité et le comportement du héros québécois du roman, Pierre X. Magnant, ainsi que la personnalité et le comportement de son double africain, Olympe Ghezzo-Quénum. Les deux personnages reflètent, chacun à sa façon, les diverses composantes et facettes de cette impossibilité d'agir propre aux peuples vaincus et colonisés, imprégnés et paralysés par les stéréotypes intériorisés "inventés par le colonisateur [10]." Le récit de Magnant et le journal d'Olympe constituent les deux parties correspondantes, les deux faces spéculaires d'une même situation, marquées respectivement par deux actes proéminents : le meurtre de Joan et le viol de sa soeur R.R. Autour de ces deux événements se polarise, par un jeu de reflets inversés, de substitutions et de dédoublements, toute

Edition princeps, 1968

Traduction anglaise d'Alan Brown parue à Toronto en 1974

la dialectique du roman, aboutissant à la guérison régénéra-trice de RR, qui affirme à la toute fin du roman, après avoir rappelé le viol qui l'a rendue enceinte :

> *Depuis, tant de choses se sont passées : j'ai changé de nom, je porte un enfant qui s'appellera Magnant — et jusqu'au bout, je l'espère, et sans avoir peur de son nom. Et je veux que mon enfant soit plus heureux que son père et qu'il n'apprenne jamais comment il a été conçu, ni mon ancien nom* (11)...

Beaucoup de choses en effet se sont passées en relation avec le viol de RR et qui ont conduit jusqu'à son attitude finale, telle que ci-dessus formulée. Parmi celles qui ont précédé le viol, il y a cet épisode relaté au treizième chapitre, intitulé "Semi-finale", où RR, assumant le rôle de l'auteur même du roman, déclare n'avoir "pas cessé de poursuivre — dans cet écrit polymorphe — une expérience d'écriture fictive", et n'avoir cessé non plus, "depuis la première page, ... d'inventer et de vouloir confectionner un roman (12)."

RR prétend dans ce chapitre avoir projeté en P.X. Magnant "la masse confuse de [*ses*] désirs". Elle prétend encore avoir vécu une liaison lesbienne avec Joan, non pas la Joan microbiologiste, autre "personnage fictif", assassinée par Magnant, mais la vraie, "spécialiste de la scénographie", liaison dont elle rappelle tant les moments extatiques que les effets néfastes sur sa personnalité, devenue "une effigie distordue", ... une image défaite". Il ne fait guère de doute qu'à ce stade de son évolution, ce que RR représente dans le texte, c'est la patrie québécoise vaincue qui devient consciente de son association trouble, stérile et débilitante avec une partenaire anglaise, dont le "génie inimitable de la simula-tion" l'a fascinée, ensorcelée au point où, malgré sa lucidité naissante, elle a toujours grand peine à s'en dégager. Ce qui est ainsi personnifié dans RR, c'est vraiment cette "fatigue culturelle" du peuple québécois, si lucidement analysée dans l'article d'Aquin déjà mentionné. Comment ne pas la voir, cette fatigue collective, suscitée par l'hiatus amnésique de la conquête et du "fédéralisme copulateur", dans ces aveux de RR, rétrospectivement adressés à Joan :

> *Tableau secret aux lignes rallongées avec extra-vagance et non sans cruauté de ta part, je m'étire lamentablement dans une perspective que tu as préméditée et comme une anamorphose que nul*

> *regard amoureux ne rendra à une forme raccourcie,*
> *je veux dire : au temps retrouvé (p. 130) !*

Ou encore :

> *Je suis fatiguée, je voudrais céder au sommeil, à*
> *toi, à nos étreintes orgueilleuses et renoncer à*
> *jamais à la lucidité intolérable qui me vient comme*
> *un fantôme. Tout ce qui est lucide doit mourir ;*
> *tout ce qui aime rêve d'une nuit totale, d'une nuit*
> *d'induction qui commence tôt et ne finit pas. Ma*
> *nuit insomniaque et sans espoir m'accable. Mais je*
> *suis seule, dépossédée, triste par conséquent ; je ne*
> *sais pas si la vie sans toi m'est nécessaire, si ton*
> *absence ne signifie pas mon arrêt de mort. (Ibid.)*

N'oublions pas que si RR se présente ici comme l'incarnation, l'"image défaite" de la patrie québécoise subjugée, fatiguée au point de douter de ses possibilités de survie autonome, elle s'est d'abord affichée comme l'auteur réel qui a "inventé de toutes pièces le délire pseudo-hallucinatoire de P.X. Magnant". C'est dire que, si elle représente elle-même, dans son état de fatigue lucide et impuissante une "vérité... infiniment plus décevante" que la fiction, P.X. Magnant, "cet être humain, plus porté vers la révolution qu'enclin à travailler dans une pharmacie", n'en représente pas moins "la masse confuse de [ses] vrais désirs". Et c'est de l'union de ces deux aspects de la patrie québécoise, à savoir la partie réaliste passive, brimée, aliénée et la partie idéaliste, révolutionnaire, aspirant à la libération, que naîtra la prise de conscience et l'identification salvatrices telles que figurées par l'attitude finale de RR, enceinte d'un enfant de P.X. Magnant.

Resterait à se demander pourquoi cette union réconciliatrice a dû se faire par la violence du viol. L'explication, c'est dans la psychologie figurative de P.X. Magnant, l'âme révolutionnaire du pays, qu'on la trouve. De par son aliénation et ses troubles d'identité, Magnant, malgré ses impulsions amoureuses, se retrouve impuissant devant la femme, et ce n'est que dans la violence qu'il peut camoufler (le meurtre de Joan) ou dépasser (le viol de RR) son impuissance, pour accéder à la puissance générative.

Que conclure d'une telle figuration, si ce n'est que, du point de vue d'Aquin, le peuple québécois, dans la situation de colonisé où il se trouve, ne pourra s'en sortir à moins d'avoir recours à des moyens révolutionnaires quelconques ? Le prolongement du *statu quo* peut bien présenter extérieurement une image de paix et de prospérité, mais c'est une image fausse et trompeuse, puisqu'elle recèle, sous une forme camouflée, anamorphique, le ferment d'une inévitable dissolution.

Cette question de l'anamorphose est amenée par RR en relation avec le tableau "Mystère des deux Ambassadeurs" de Holbein, pour expliquer les secrètes répercussions néfastes de sa liaison avec Joan. De même que dans la peinture de Holbein, la splendeur apparente des deux ambassadeurs reçoit son plein sens de démenti dans l'anamorphose (ou dessin déformé) d'un crâne, symbolisant de façon voilée la vanité de la gloire humaine, de même l'association de RR (la nation québécoise) avec Joan (sa partenaire anglaise), malgré ses caractères apparents de gratification voluptueuse acquiert sa dimension secrète d'échec mortel par la déformation paralysante qu'elle impose à sa partie médusée et sacrifiée.

Le quatorzième chapitre, suivant cette "Semi-finale" rédigée par RR, nous semble investi d'une particulière importance du point de vue métalinguistique, soit de l'explication du code romanesque utilisé par l'auteur. Dans ce chapitre, intitulé "Suite et fin", l'éditeur, assumant les fonctions conatives et phatiques du texte, entreprend de "démêler cet écheveau inextricable qui lui tient lieu de manuscrit à éditer", et d'aider le lecteur à "se reconnaître dans ce courant désordonné de chapitres et d'interprétations". (p. 137) Entreprise fort indiquée qui sera sans doute appréciée du lecteur, encore que les solutions des énigmes ne lui soient pas livrées toutes cuites, et que l'éditeur lui-même puisse bien contribuer pour sa part aux trompe-l'oeil, "fatras d'allégories et... fausses pistes" dont il accuse RR à propos de son texte du chapitre précédent. Texte que l'éditeur commence par dénoncer vertement comme "faux témoignage" et "écrit apocryphe", mais dont il finit pourtant par considérer :

> que son vasage vagomoteur au sujet des *"Ambassadeurs"* de Hans Holbein est peut-être un texte codé dont le sens ne saurait apparaître qu'à celui qui est au courant de l'angle exact (en degrés) selon lequel il faut le regarder, de la même façon que pour appréhender le crâne qui se tient entre les *"Ambassadeurs"* on doit regarder le tableau du maître d'un point de vue oblique. Cette hypothèse permettrait

> *peut-être de comprendre autrement que d'un coup*
> *d'oeil l'image qu'il propose. Il s'agirait donc d'un*
> *texte à clef ;* (p. 136)

C'est à ce point que le lecteur devrait saisir dans les propos de l'éditeur le signal ou indice donné en fait par le véritable auteur, Aquin, sur les correspondances à établir non plus seulement entre le tableau de Holbein et le texte supposément "apocryphe" (qui déjà le semble moins) de RR, mais encore entre les "Ambassadeurs" et tout le roman *Trou de Mémoire.* De fait l'éditeur (rendu bien près de l'auteur, à s'y méprendre), après de savantes considérations sur une lecture inspirée des techniques picturales de la perspective, finit par avouer : "Je fais grâce au lecteur de mes tâtonnements et j'en arrive à l'essentiel : j'ai finalement utilisé une grille anamorphotique pour relire le manuscrit, et voici ce que m'a révélé cette expertise catoptique." (p. 141) Suit une explication des correspondances entre tableau et roman, dont nous croyons qu'elle constitue l'une des structures signifiantes maîtresses de *Trou de Mémoire.* Aussi en donnerons-nous ci-dessous les principales données, non sans y ajouter les détails issus d'une lecture personnelle qui nous semblent contribuer à la signification globale de l'oeuvre.

Pour procéder selon la suggestion de l'éditeur, établissons deux colonnes avec, dans celle de gauche les notations pertinentes concernant les "Ambassadeurs" de Holbein, puis, dans celle de droite les correspondances "relevées dans le manuscrit". De part et d'autre, soit dans les deux colonnes, les données s'inscrivent dans deux registres : vanité des apparences et vérité au-delà, séparés en même temps qu'unis par une figure de la mort donnant aux deux registres leur complémentarité réciproque de signification. Dans le registre de la vanité des valeurs humaines : du côté du tableau de Holbein, on trouve les deux ambassadeurs, de Dinteville et de Selve, réunis dans une apparence de puissance et de gloire, tant par la somptuosité de leurs costumes que par les "entrelacs des motifs du tissage" du tapis oriental couvrant la table sur laquelle ils s'appuient, alors que du côté du roman d'Aquin, leur correspondent en parallèle P.X. Magnant et Joan, dont les entrelacs de l'intrigue relatent les tentatives amoureuses. Appelant ces éléments du premier registre à une signification accrue, se trouvent d'une part, entre les deux ambassadeurs, le crâne anamorphique symbolisant la vanité du pouvoir et du savoir humains, et d'autre part, le cadavre de Joan assassinée, figure de l'échec fatal sous-tendant l'impossible aventure amoureuse entre elle et Magnant. Ces figures de mort installées en leur centre permettent au tableau et au roman d'accéder au second registre, celui de la vérité par-delà la mort, qui leur accorde ce supplément de signification auquel leur ouverture baroque aspire. Pour Holbein, la seule vérité de l'homme se situe au-delà des splendeurs humaines, dans une vie éternelle à gagner ; pour Aquin, la seule vérité du peuple québécois reste à trouver au-delà de l'impuissance du colonisé amnésique, du "crime parfait" commis envers son double anglophone, dans son identité à reconnaître et à affirmer.

Quant à l'hypothèse de l'éditeur, cherchant à lire le "texte codé" de RR "comme s'il avait été composé selon le procédé anamorphotique", elle demeure valable aussi, si l'on considère que le récit "apocryphe" de RR est inséré dans le texte de P.X. Magnant comme le crâne anamorphique dans le tableau de Holbein, c'est-à-dire sous une forme déformée, y ajoutant une signifcation complémentaire voilée. L'aventure amoureuse de RR avec Joan se présente en effet comme une métaphore camouflée de celle de Magnant avec la même (ou une autre) Joan, en accentuant davantage l'anomalie, la perversité et les effets funestes.

La même RR qui, ayant servi, par son "texte à clé", repris et amplifié par l'éditeur, à élucider les significations maîtresses du roman, lui fournira encore son dénouement positif conforme. Victime en effet, comme sa soeur Joan, de la violence de P.X. Magnant, elle profite pourtant de l'avantage qui lui est laissé de la mettre à profit, en renonçant à son ancienne identité et en devenant "Canadienne française-québécoise pure laine !" (p. 203)

Ce dénouement ne résume ni n'épuise les multiples significations suggérées par le roman, entre autres celles incluses dans les nombreuses références à l'histoire, aux arts et aux sciences. Il se situe cependant, à n'en pas douter, au coeur de sa texture québécoise. Encore faudrait-il ajouter, au sujet de la dialectique initiale d'opposition entre l'art et l'action que *Trou de Mémoire* semble bien accentuer davantage le pôle artistique, tout en assouplissant davantage (serait-ce la contre-partie obligée ?...) les données du pôle politique. De fait, à y regarder de plus près, la vision dialectique offerte dans *Trou de Mémoire*, par les jeux combinés de l'intrigue, du symbolisme et des effets anamorphotiques (ou en trompe-l'oeil) dépasse la simple opposition (de *Prochain Episode*) entre les difficultés de l'action et celles de l'oeuvre d'art ; elle s'introduit à l'intérieur de chacun des pôles pour suggérer, dans les termes de Patricia Smart, "la vanité d'une croyance absolue à l'art ou au pays (13)". Une telle vision ne tend aucunement à nier les valeurs de l'art ou de l'action, mais plutôt à les sortir de l'absolu intemporel pour les introduire dans la courant relatif de l'histoire, en vue de "ce dépassement continuel des contradictions dans le temps qui constitue la liberté de l'homme (14)."

L'Antiphonaire

"Tissu d'art", "expérience d'écriture fictive", "vouloir confectionner un roman", toutes ces expressions tirées de *Trou de Mémoire*, et marquant une tendance, que nous venons de souligner, à accentuer d'une part le pôle de l'art tout en ne lui enlevant rien de son aspect relatif de processus dialectique inséré dans l'histoire, à atténuer, à "relativiser" pour ainsi dire, d'autre part le pôle politico-social de l'affranchissement national, nous en retrouverons un prolongement dans le troisième roman d'Aquin, *L'Antiphonaire*. Ce prolongement, qui se poursuivra d'ailleurs dans le quatrième roman, *Neige noire*, on pourrait en traduire les modalités en disant que le pôle politique, sans pour autant disparaître ou infirmer l'"appartenance" de l'écrivain, devient cependant de plus en plus implicite, alors que le pôle artistique (celui que l'écrivain a toujours pris soin de revendiquer comme primordial dans son entreprise romanesque), lui, devient de plus en plus explicite, proliférant, autonome. Pour exprimer autrement le phénomène, disons que les tentatives stochastiques des deux premiers romans (tentatives largement réussies, va sans dire) ont amené le romancier à alléger, décanter son écriture des fonctions expressive et référentielle, pour y exercer davantage, avec plus de liberté, la fonction esthétique

Edition princeps, 1969

Traduction anglaise d'Alan Brown parue à Toronto en 1973

ou poétique. Corrélativement, les fonctions conative, phatique et métalinguistique deviendront plus discrètes et subtiles, dans la mesure où le message romanesque acquerra plus d'autonomie, tout en en laissant davantage au lecteur dans le repérage des significations. Dans un sens, on pourrait dire que les procédés anamorphotiques invoqués dans *Trou de Mémoire* seront utilisés, sans avertissement (ou presque) au lecteur, lui laissant le choix (et le plaisir euristique) de ses angles de vision.

Cette évolution marquée dans le sens de la fonction esthétique, à partir du troisième roman, a été très justement soulignée par Jacques Pelletier :

> *Avec* L'Antiphonaire, *écrit-il,* s'ouvre une nouvelle période dans l'oeuvre d'Aquin. La question nationale québécoise qui constitue la thématique principale sinon unique des premiers romans disparaît à toutes fins pratiques dans ce troisième roman et dans *Neige noire. Tout au moins en tant que thématique explicite, ce qui n'empêche pas bien entendu de lire et d'interpréter ces récits comme des expressions d'une société coloniale reproduisant, au niveau formel, la condition d'aliénation des Québécois. Principe d'organisation, de mise en forme des premiers romans, la question nationale sera relayée désormais par une nouvelle problématique, dont le thème central est la recherche de valeurs authentiques, du sens à donner à l'existence* [15].

Sans nous arrêter à cette "nouvelle problématique" débordant les limites de notre propos, nous nous en tiendrons à la lecture et à l'examen de la dimension nationaliste (subsistante, sinon exclusive) de ces deux derniers récits.

A notre connaissance, la seule mention explicite de cette dimension nationaliste qui soit faite dans *L'Antiphonaire* se trouve à la page 45, dans un contexte où Christine Forestier, l'héroïne-narratrice, expose les déboires de sa vie d'adulte. A 37 ans, ayant abandonné, une dizaine d'années plus tôt, la pratique de la médecine, elle est maintenant mariée à Jean-William, un épileptique dont elle vient de subir les violences de la neuvième crise, dans un motel de San Diego. Désenchantée, elle croit n'avoir "plus d'avenir : ni comme médecin, ni comme femme". A celles qui lui reprocheraient de renoncer à tout espoir de plénitude féminine, maintenant qu'elle est devenue accessible, elle rétorque :

> *D'accord ! Mais vous n'avez pas vécu, chères lec-*
> *trices incompréhensives, la moitié de ma pauvre*
> *existence, vous n'avez pas fait le tour de mon jar-*
> *din, ni accumulé à ce point de surprises et d'orgas-*
> *mes que les futures joies ne puissent m'exciter*
> *encore et me redonner une jeunesse que j'ai verte-*
> *ment gaspillée à sonder les insondables théories*
> *de Simon Stévin, William Harvey, de Sebastien*
> *Franck, de Marsile Ficin et de Marsile d'Enghien —*
> *pratiquant à déficit ma propre "forma specularis"*
> *québécoise à mort (16)...*

C'est nous qui soulignons cette affirmation de Christine, le seul passage de tout le roman, encore une fois, où la situation québécoise soit explicitement mise en cause. C'est qu'il importe de la bien noter, si nous tenons à déceler les connotations nationalistes implicites de l'oeuvre. Ce que Christine affirme ici, c'est qu'en gaspillant sa jeunesse en vaines études, elle ressemblait, comme une image dans un miroir, à son pays le Québec, s'esquintant futilement dans des conditions et des activités stériles qui, loin de l'épanouir, l'épuisent... "à mort (17)." Christine, ayant abandonné sa profession médicale de même qu'une thèse de doctorat (sur la science médicale au XVIe siècle), mariée à un homme jaloux et malade dont elle doit subir les accès de violence, se désigne, par le fait de ce rapprochement, comme une figure dans l'intrigue romanesque d'une patrie québécoise ravalée, fonctionnant "à déficit", après avoir renoncé à son indépendance, dans une association fédérale dominatrice, dont elle retire plus de méfaits que de bienfaits. Elle représente en somme un peuple colonisé qui, ayant perdu les moyens de présider à ses propres destinées, semble avoir aussi perdu le goût et la force de les retrouver.

Si on garde en mémoire cette dimension québécoise que Christine se donne (avec la bénédiction de l'auteur, va sans dire), c'est tout le roman qui s'en trouve enrichi, dans ses multiples et complexes péripéties, de toute une gamme de significations implicites. Revenant par exemple au deuxième chapitre, où débute le récit de Christine, comment ne pas lire des connotations de la situation québécoise dans le désordre, les crises larvées, le "mal de vivre"dont elle parle ?

> *Sans titre, sans logique interne, sans contenu,*
> *sans autre charme que celui de la vérité désordon-*
> *née, ce livre est composé en forme d'aura épilep-*

> tique [18] : *il contient l'accumulation apparemment inoffensive de toute une série d'événements et de chocs, le résultat du mal de vivre et aussi sa manifestation implacable* (p. 17).

De même est-ce sans trop de peine qu'on peut saisir une allusion implicite au malaise chronique du "fédéralisme copulateur" et aux stériles récurrences de ses débilitantes confrontations, dans cette assertion de la page suivante :

> *Je cherche à composer ce livre comme un recueil d'illustrations — mais toutes ces illustrations ne représentent qu'une seule et même crise étrange, multiforme, gracieuse au début, spectrale dans sa progression, macabre en fin de compte, qui épuise Jean-William et qui m'épuise tandis que j'observe son dérèglement* (p. 18).

D'autres détails ou éléments du récit viennent nourrir cette lecture québécoise ; par exemple : la neuvième crise de Jean-William a lieu au Motel Hillcrest (colline parlementaire) à San Diego, Californie, en pays étranger (Ottawa). Quant à la façon dont la thématique nationale se trouve dans *L'Antiphonaire* (par rapport aux deux premiers romans) atténuée, "relativisée", intégrée et "relayée désormais par une nouvelle problématique" élargie, on la voit déjà à l'oeuvre dans ces paroles de Christine introduisant son récit :

> *Rien n'est nécessaire ; ce qui revient à dire que tout est aléatoire ou presque tout. La neuvième crise de Jean-William est à peine amorcée que, déjà, je m'en éloigne, je suis sur le point de le distancier, de lui trouver un double imaginaire, une sorte d'extension temporelle incommensurable* (p. 17).

Ce qui s'annonce ici, en même temps que la volonté de distanciation à l'égard de la situation conjugale-confédérale, c'est la deuxième intrigue, "double imaginaire" de la première (vécue par Christine), mais lui servant constamment de contre-point, d'antiphone esthétique, tout en lui procurant un prolongement, un élargissement dans le temps et dans l'espace, façon fort efficace de situer en perspective la question et la culture québécoises dans le contexte élargi de l'histoire occidentale. Ce que Christine explicite davantage en ajoutant : "Je me meus dans un espace-temps dont les frontières sont difficiles à discerner : ... (*ibid.*)" Puis elle énumère des villes de divers pays occidentaux où se dérouleront les événements marquants de la double intrigue qui s'amorce, pour en venir à d'autres villes "où je suis brûlée vive", dont les noms ne sont pas tant reliés à des péripéties d'intrigue qu'à des connotations historiques ou symboliques d'oppression en situation coloniale : Toulouse (où fut brûlé Vanini), Asbestos (la grève de l'amiante), Genève (patrie de Bonnivard) [19]...

Avant d'en venir à la seconde intrigue ci-devant annoncée, esquissons à grands traits comment les faits subséquents de la première persistent à en alimenter la lecture nationaliste. Quittant la Californie et les sévices de son mari, après avoir été violée par un pharmacien de San Diego (tué ensuite par Jean-William), Christine revient à Montréal, dans son pays, pour y retrouver, avec sa liberté, son ancien amant, Robert Bernatchez, qui sera à deux reprises victime ("péniblement" survivante) de la vengeance meurtrière de Jean-William, l'époux abandonné et frustré dans ses ambitions de "fédéralisme copulateur" et dominateur. Christine de son côté n'en trouve pas pour autant la paix et la liberté, puisqu'elle demeure rongée par un paralysant sentiment de culpabilité, sans compter qu'elle garde toujours malgré tout une nostalgie affective aussi forte que morbide pour Jean-William, comparable à celle du héros de *Prochain Episode* pour de Heutz et de Magnant pour Joan. A la veille de se suicider, elle affirme encore : "Jean-William me manque. Sérieusement et gravement, je ressens son absence comme une privation terrible ; pourtant, je sais bien qu'il m'a frappée, battue, affreusement traitée — mais puisque je ne méritais rien de mieux...(p. 241)" On ne peut s'empêcher de songer à la pénétrante analyse de la complexe psychologie collective du peuple québécois faite par Jean Bouthillette [20].

Dans cette dernière page qu'elle écrit après avoir été droguée par le docteur Franconi qui a abusé d'elle (à l'hôpital où son amant Robert gît entre la vie et la mort), Christine avoue désirer une dernière étreinte amoureuse avec Jean-William, avant qu'il la tue. "Car, dit-elle, je sais bien qu'il me tuerait ; qu'il ne me pardonnerait pas d'être partie lâchement de San Diego et d'être venue à Montréal pour rejoindre Robert et vivre avec lui (p. 241)."

Est-il besoin de souligner jusqu'à quel point ces dispositions finales de Christine peuvent refléter l'ambivalence pathologique d'un peuple aux prises avec une situation ambiguë, dévalorisante et débilitante, à laquelle il ne semble y avoir d'autre issue que la mort. Une optique freudienne montrerait dans cette névrose mortelle qui emportera Christine le grand débat de la destinée humaine entre Eros, l'instinct de vie, et Thanatos, l'instinct de mort. Exaspéré par la culpabilité (envers Robert), exacerbé dans son désir (par Franconi), Eros, en désespoir de cause, cède finalement à Thanatos (Jean-William) le soin de concilier et de satisfaire les deux exigences contradictoires : vie et mort, désir d'épanouissement vital et besoin de punition morale. Solution morbide, voire mortelle, de l'impuissance de la vie humaine à triompher des entraves (externes et internes) qui empêchent son évolution normale. Comment ne pas y voir une splendide, éclatante illustration de la pratique "à déficit" de la "propre 'forma specularis' québécoise à mort" de tous et de chacun !

Venons-en à la deuxième intrigue de *L'Antiphonaire*, celle relatée par Christine en parallèle de sa propre aventure contemporaine située en Amérique (en Californie et au Québec), et qui se déroule, celle-là, au XVIe siècle en Europe (en Suisse, en Italie et en France) autour de Renata Belmissieri, jeune épileptique chargée par le médecin Jules-César Beausang de transporter en contrebande un manuscrit de la frontière suisse à Chivasso, près de Turin, chez l'imprimeur Zimara. Dès le début, Christine ne se cache pas de voir en Renata un double d'elle-même, sur qui elle ne cesse de s'apitoyer en répétant : "Pauvre Renata !", à quoi elle joindra à l'occasion un "pauvre moi" ou un "pauvre Jean-William". Le fait est qu'à Renata, comme à Christine, les angoisses et les malheurs ne manqueront pas : en plus d'être aux prises avec la "terreur indéfinissable" de son mal — le "haut mal" de l'époque —, la culpabilité d'avoir fui le foyer paternel, une insécurité totale dans "ses relations avec les gens", et les dangers inhérents à son métier de contrebandière, elle devra subir le viol de l'imprimeur Zimara, puis celui de l'abbé Chigi, pour être ensuite accusée par ce dernier et sa compagne Antonella (veuve et vraie meurtrière de Zimara) de la mort de l'imprimeur ; fausse dénonciation pour laquelle elle sera finalement incarcérée puis exécutée.

Comme élément structurant ou modèle générateur, commun aux deux intrigues (celle de Christine et celle de Renata), contribuant à la signification d'ensemble du roman, Albert Chesneau relèvera, se répétant sept fois dans les deux synchronies parallèles, un schéma événementiel à trois temps : "Ce modèle définit une sorte de rituel comprenant un acte de lecture ou d'écriture, un viol et un meurtre, rituel qu'on pourrait grossièrement résumer dans la formule : la lecture qui tue [21]." Cette formulation n'est pas sans rappeler l'importance donnée dans *Trou de Mémoire* tant aux inter-jeux de textes qu'à la violence sous forme de viol et de meurtre.

Dans la même optique inter-textuelle [22], on se rappellera encore que *Trou de Mémoire*, en opposition au tableau de Holbein, représentait un "immense 'blasphème' (p. 57) qui détruit tout absolu situé hors du temps (religion, art, ou *pays* érigé en absolu [23]", pour engager le lecteur sur la voie de la vérité relative et existentielle de l'histoire. On retrouvera sans peine dans *L'Antiphonaire* des prolongements de ce "blasphème" ou contestation des absolus sacrés en faveur d'un réalisme relativiste et positif. Entre autres au douzième chapitre où, dans un texte étincelant de lyrisme et d'ironie subversive, est relaté le viol, dans la sacristie, de Renata en crise épileptique par l'abbé Chigi. Les transitions qui s'opèrent chez Renata (avec la coopération de Chigi, son confesseur et exorciste qui lui lit des textes du *Cantique des Cantiques*) de la transe comitiale à la transe mystique, de cette dernière à l'attrait physique, puis de ce dernier à l'extase de l'union charnelle la plus déchaînée, y sont décrites avec une verve magistrale que ne renierait pas un Cervantès.

Dans cette veine sacrilège [24], en réponse à l'un des sens possibles du titre, il ne semble aucunement interdit de concevoir *L'Antiphonaire* comme une sorte de rituel ou de mémorial satirique et subversif, présentant dans les deux intrigues parallèles les contre-chants (antiphones ou antiennes) d'une contre-messe parodique, dans laquelle les fidèles deviennent infidèles, et les participants victimes ; le salut devient impuissance et perte, les textes sacrés deviennent profanes et néfastes ; le célébrant-auteur (serait-ce pur hasard si la principale officiante et victime se nomme Christine ?), au lieu d'offrir en sacrifice une mort présente en vue d'une autre vie à espérer et poursuivre, offre [25] une mort éventuelle à assumer et dépasser, pour que progresse et s'épanouisse la vie présente (individuelle et collective).

Dans une telle célébration rituelle, centrée sur le "grand mal" de l'impuissance et de l'échec, les divers personnages, en plus de participer aux étapes successives de la vaste action sacrificielle, se répondant et se correspondant alternativement à travers le temps et l'espace de part et d'autre de la double intrigue, en constituent encore une sorte de chant liturgique, comme les antiphones ou antiennes accompagnant de leur commentaire musical les gestes cérémoniels de la messe.

C'est ainsi que dans les gestes de l'épilepsie, à Jean-William en Amérique au XXe siècle, répondra Renata en Europe au XVIe, de même que dans le rôle des épouses vilifiées, Christine correspondra à Antonella ; au pharmacien violateur Gordon répondra l'imprimeur Zimara, tout comme Robert partagera avec Chigi le chant de l'amant consolateur et Franconi avec Beausang la situation de médecin divorcé. Le plus grand nombre de ces participants "antiphonaires" du vil sacrifice en deviendront graduellement les victimes et seront finalement immolés, soit par le meurtre, soit par le suicide. Seuls Robert et son épouse Suzanne survivront à l'holocauste, pour continuer à célébrer, par leurs existences physiquement et psychiquement atrophiées, les gloires douteuses du "mal de vivre".

S'il est vrai que *L'Antiphonaire* représente une structure renouvelée par rapport aux deux romans antérieurs, il n'en est pas moins vrai que la thématique québécoise, qui constituait la principale armature de ces derniers, subsiste et se prolonge vigoureusement dans ce troisième roman, même si elle s'y trouve intégrée dans un cadre élargi ; ce qui, bien loin de la désactualiser ou dévaloriser, ne fait que contribuer davantage à son approfondissement et à son efficacité.

Neige noire

Tant du point de vue de la thématique que des procédés, on a vu comment *Trou de Mémoire* pouvait être considéré comme un prolongement et une amplification de *Prochain Episode* ; de même y a-t-il lieu de concevoir *Neige noire* comme la continuation thématique et l'accentuation formelle de *L'Antiphonaire*, de sorte qu'on aboutit à deux couples de récits romanesques (le premier et le deuxième d'une part, le troisième et le quatrième d'autre part) dont le second complète et parfait les éléments signifiants du premier. Encore faut-il ajouter que, dans cette progression des thèmes et des techniques, d'un roman à l'autre à l'intérieur de chaque couple, comme du premier couple au second dans l'ensemble de l'oeuvre, c'est la forme ou la structure romanesque globale qui apparaît comme étant l'objet d'un renouvellement ou d'une évolution. "Pour moi, disait Aquin à Bouthillette, un romancier doit courir après les formes. Le contenu, il l'a en lui et il le sort dans la forme choisie (26)." On a pu en effet constater, dans les pages précédentes, comment de fait, grâce à des procédés similaires, mais sans cesse réaménagés, et dans des formes ou des structures renouvelées, s'est manifestée la fidélité de l'écrivain à son "appartenance" québécoise. Ce qui témoigne sans aucun doute, non moins que des ressources exceptionnelles de son pouvoir de création, de la constance de son inspiration nationaliste, celle qui nous intéresse ici. Reste à voir comment cette double constante (persistance d'une thématique fondamentale sous le renouvellement des formes) se présente dans le dernier en date des romans aquiniens, *Neige noire*.

Débordant la dialectique de l'art et du pays (qui constitue, nous l'avons vu, la thématique principale des deux premiers romans), poursuivant par ailleurs les thèmes élargis de l'aliénation et de l'impuissance développés dans *L'Antiphonaire*, *Neige noire* offre au lecteur une vaste et complexe construction artistique dont l'ensemble constitue une impressionnante réflexion sur le sens de l'existence et ses données maîtresses : le temps, la vie, l'amour, la mort. Pour se situer au plan de l'universel humain, une telle réflexion n'en inclut pas moins, nous verrons comment, les valeurs particulières du nationalisme québécois ; et cette façon d'inclure le particulier dans le général, ici comme dans *L'Antiphonaire*, appliquera la solution du débat, posé — et en partie résolu — par le premier roman, entre l'art et l'action. On se souviendra que, tant dans les essais et entrevues que dans les romans antérieurs, cette solution aquinienne a toujours affirmé la priorité autonomique de l'art sur l'action politique ou révolutionnaire. *Neige noire* nous semble bien être une illustration de la préférence graduellement accordée par l'artiste aux complexités de l'humain par rapport aux élans d'impatience du patriote révolutionnaire, élans susceptibles d'être éclairés, conditionnés et tempérés par cette réflexion.

Sans aucunement renier l'esthétique baroque de ses prédécesseurs, ni non plus sa signification révolutionnaire, le quatrième roman d'Aquin en offre pourtant une conception rénovée, dans une oeuvre profondément originale. La structure verbale s'élabore selon deux procédés alternatifs et complémentaires : l'un narratif, fournissant l'aspect fictionnel et poétique du roman, l'autre discursif, offrant le commentaire métalinguistique susceptible d'éclairer le sens et la portée du message narratif. Ce qui permet au narrateur d'entrecouper son récit de tels commentaires, c'est que ce récit se présente sous la forme d'un scénario de cinéma en cours d'élaboration. Cette exploitation des procédés cinématographiques à des fins romanesques, tout en témoignant de la fidélité du romancier au style baroque qu'on lui connaît, manifeste surtout sa profonde originalité. De fait, il utilise en connaisseur, voire en maître, les ressources de mobilité locale et temporelle de l'image sonore filmée, pour les incorporer dans sa narration écrite et faire de celle-ci une représentation, aussi dynamique qu'inattendue, d'un réel multiforme en voie de transformation.

Quant à la qualité d'ouverture de l'oeuvre, au sens déjà défini selon d'Ors et Eco, elle réside principalement dans ce fait que le roman-scénario n'est pas encore un film réalisé, mais demeure une action écrite insérée, "enchâssée" dans un commentaire écrit. Or, si l'on en croit l'auteur-commentateur lui-même, le "resserrement" ou "condensation" propre à l'écriture n'est là que pour appeler et susciter la "dilatation" propre à la réalisation cinématographique, symbole à n'en pas douter, dans ce contexte, des interprétations et prolongements de l'action romanesque laissés à l'initiative réalisatrice du lecteur. Songeant à cette relation de complémentarité qui va de la condensation du scénario écrit (oeuvre de l'écrivain) à la dilatation du film réalisé (oeuvre du lecteur), le commentateur dira : "Il existe [...] des condensations très *propices à l'épanouissement*. La compression de l'imagination, par exemple, a le même effet que l'atropine sur la pupille : elle dilate, tout enfin *se dilate et s'ouvre*, à tel point qu'on a vite oublié la contraction qui a précédé cette joie expansive [27]." D'une manière plus explicite, il ajoutera, à propos de l'insertion du scénario dans un commentaire interrompu, puis repris :

> *Toutefois il ne faut pas perdre de vue que le scénario, subordonné à ce complexus, n'est pas encore développé et ce n'est qu'à l'état de film réalisé qu'il sera pleinement tramé dans sa texture commentative ; cela revient à dire que le récit ne sera totalement enchâssé que lorsque la châsse sera devenue invisible. La pièce dans la pièce s'est métamorphosée en un film inséré dans une étude ininterrompue sur Undensacre. La directionnalité de cette glose est, contre toutes apparences, continue, et, pour le moment, inachevée. La recherche du tombeau d'Amlethe-Fortinbras se poursuit...* (p. 196).

Nous avons souligné, dans ces passages, les expressions tendant à confirmer ce que nous avons exposé dans l'introduction de la présente étude, à savoir que pour Aquin, ici comme dans les oeuvres précédentes, le récit romanesque. dans ses complexités symboliques et polysémiques, demeure un message "cryptique" à décoder d'abord, puis à compléter ou réaliser selon les dispositions respectives des "interlocuteurs innés" ; une oeuvre en somme qui se veut obscure et incomplète dans ses significations, parce que laissée délibérément ouverte aux interprétations, réflexions et prolongements personnels des lecteurs.

Puisque notre propos n'est pas de donner une interprétation globale des romans aquiniens, mais bien d'en retracer l'"appartenance" québécoise, nous tenterons de dégager de *Neige noire* ces éléments qui nous semblent se rattacher à la thématique nationaliste du romancier.

Commençons par cette "étude ininterrompue sur Undensacre", offerte par le romancier-commentateur comme étant le cadre général dans lequel s'inscrit son scénario-roman. Undensacre est le nom du lieu mystérieux où serait enterré Fortinbras, personnage de *Hamlet* de Shakespeare qui hérite à la fin de la pièce, après la mort du roi Claudius, de la reine Gertrude, et de Hamlet lui-même, du trône du Danemark. Le rôle de Fortinbras (rôle "pauvre", même si "le personnage [est] riche", dit le commentateur), se trouve être le dernier tenu par le narrateur-héros Nicolas Vanesse, dans une télé-représentation, avant de quitter son métier d'acteur pour devenir scénariste-réalisateur de cinéma. D'où association à ne pas oublier entre le drame shakespearien et le roman aquinien, plus particulièrement entre Fortinbras et Nicolas ; tout comme il importe de "ne pas oublier, nous dira le scénariste, que Fortinbras est un ennemi probable de Claudius et virtuellement un allié de l'assassin de Claudius. Somme toute, Fortinbras réussit finalement là où Laërte et Hamlet échouent, dans l'intrigue. Il venge son père en reconquérant le royaume du Danemark en son nom. Trois fils vengeurs, un seul victorieux : Fortinbras." (p. 10) Cette association Fortinbras-Nicolas (assimilable aux procédés du double utilisés dans les romans antérieurs) subsistera comme une donnée symbolique sous-jacente au cours du scénario, pour être plus explicitement soulignée, dans des commentaires comme celui-ci :

> *Fortinbras, prince héritier de Norvège, se retrouve roi du Danemark avant de l'être de Norvège, alors que Nicolas Vanesse, Fortinbras au second degré s'empare d'Eva-Norvège avant d'en hériter* (p. 195).

Rappelons ici qu'Eva, la Norvégienne, amie et double de

Sylvie, l'amante de Nicolas, remplacera cette dernière après sa mort, auprès de Nicolas. Nous y reviendrons.

Pour le moment, afin de bien saisir l'association Fortinbras-Nicolas-Undensacre, ce qu'il faut noter, c'est une tradition légendaire selon laquelle Fortinbras serait un frère jumeau de Hamlet, "le fils maudit Amlethe" de Gertrude qui serait mort enfant, en se rendant à Undensacre. Ce "fils maudit", selon une autre version de la légende, ne serait pas mort, mais aurait été adopté par le roi Fortinbras de Norvège, qui lui aurait donné son nom tout en le faisant son héritier. Ce qui faisait "qu'à la mort de Claudius ou de son jumeau [Hamlet ou Amlethus], il n'avait qu'à se démasquer pour devenir roi du Danemark." (p. 193) Ce qui arrive de fait dans la tragédie de Shakespeare, Hamlet (Amlethus) ayant par ses meurtres, à la suite de la pièce dans la pièce, frayé la voie à son frère jumeau Amlethe, alias Fortinbras, dans la revendication de son droit de succession au royaume du Danemark. Pour comprendre l'appellation "fils maudit", attribuée à Fortinbras par le commentateur, il faut se rappeler que chez les peuples primitifs, aussi bien que dans la tradition antique des peuples civilisés, la naissance des jumeaux est un phénomène surnaturel dont les conséquences sont considérées comme bénéfiques ou maléfiques, selon l'interprétation qui en est faite. Vue comme une concrétisation de la croyance en la dualité et l'immortalité de l'âme (âme mortelle du vivant et âme immortelle du mort, cette dernière souvent représentée par le double), la gémellité constituait chez certains peuples une menace à la sécurité des autres membres de la tribu. D'où ces rites d'immolation affectant soit les deux, soit l'un des jumeaux, et ces tabous d'expulsion ou de quarantaine.

> *Les jumeaux, selon Otto Rank, étaient comme la réalisation d'un homme qui a amené avec lui son Double visible. Un tel homme devait forcément pouvoir disposer de forces supranaturelles qu'il emploierait certainement d'une façon nocive. Avant tout, le jumeau paraissait immortel à cause de son Double corporel, ce qui, dans la croyance des primitifs, signifie qu'il avait le pouvoir sur la vie et la mort des autres* [28]."

Par ailleurs, les jumeaux sont souvent considérés dans les diverses mythologies comme des héros bienfaisants, usant de leurs pouvoirs spéciaux pour améliorer le sort de leurs frères.

Songeons à Pollux et Castor (les Dioscures) chez les Grecs, à Romulus et Rémus chez les Romains. "De même, nous dit Rank, que les jumeaux paraissent s'être créés eux-mêmes à l'encontre du cours normal de la nature, de même ils peuvent créer des choses qui n'existaient pas auparavant dans la nature et qui forment ce que nous appelons la culture (29)." Il semble bien que ce soit à ces doubles pouvoirs, fastes et néfastes, des jumeaux qu'Aquin se réfère, quand il fait de son narrateur-héros, Nicolas Vanesse un "Fortinbras au second degré", soit le double d'Amlethe, frère jumeau et double lui-même de Hamlet. Après avoir été dépossédé de son identité et de son pays, ce "fils maudit", reconquiert le second, sans avoir recouvré la première aux yeux de la postérité, puisqu'après avoir revendiqué et exercé ses droits au trône du Danemark,

> "Le règne de Fortinbras fut de courte durée et par une ambiguïté de l'histoire il fut enterré sous le nom de Fortinbras dans son propre pays et à Undensacre, l'endroit même où se rendait le petit Amlethe quand il a trouvé la mort au large des côtes danoises. Le tombeau de Fortinbras se trouve à Undensacre ou dans l'Undensacre. Mais personne ne sait avec certitude où se trouve Undensacre (p. 194)."

Nous reportant à une constante des romans antérieurs, où le narrateur-héros, double de l'auteur, apparaît comme le Québécois type, en quête de son identité et de son pays, il ne semble pas présomptueux de croire qu'ici encore, Nicolas Vanesse, double de Fortinbras-Amlethe, et par le truchement de la tradition mythologique, double aussi de son jumeau Hamlet, représente autant l'impuissance et fatale hésitation de Hamlet que la mystérieuse et efficace détermination de Fortinbras. Il n'est sans doute pas indifférent de noter que de ces deux comportements jumelés et opposés, c'est l'échec du premier qui prépare la voie au succès du second.

Au lecteur, et à la part — laissée ouverte, libre — qui lui revient dans le scénario-roman, serait assignée cette "étude ininterrompue sur Undensacre", soit la recherche du héros qu'une identité restée occulte n'a pas empêché de reconquérir son pays, après que son jumeau Hamlet, dans son impuissante violence, eut provoqué la mort de tous les prétendants. Si c'est par le stratagème de la pièce dans la pièce que, dans *Hamlet*, s'est amorcé le dénouement sanglant qui a permis à Fortinbras de prendre possession de son pays, pourquoi le même stratagème du scénario meurtrier dans le commentaire désespéré ne suggérerait-il pas au lecteur compatriote, réalisateur du film, de reconquérir ses droits non encore revendiqués sur son pays ?

Conjuguant en lui les destins de ses doubles Hamlet et Fortinbras, Nicolas Vanesse, au début du roman, a décidé de quitter sa carrière de comédien pour devenir cinéaste. En train de terminer le tournage de *Hamlet* pour Radio-Canada, il doit bientôt partir en croisière au Svalbard norvégien avec son amante Sylvie :

> *"Notre vie va changer, mon amour... Et même sur le plan professionnel, tout va changer. Avant, j'étais comédien ; après notre voyage, je ne le serai plus. [...] Mais tout ce que j'ai fait jusqu'à maintenant n'est pas perdu pour autant, puisque je vais travailler dans le cinéma. Fortinbras est mon dernier rôle..."* (p. 17)

Le commentaire ajoute :

> *"(Le spectateur a la sensation que le film qu'il regarde se révulse et que Fortinbras cessera bientôt d'exister. Les comédiens étaient des personnages ; mais voilà qu'un personnage décide de ne plus être comédien...)"* (ibid.)

Si Fortinbras, le "seul victorieux" des "trois fils vengeurs" doit bientôt cesser d'exister, n'y a-t-il pas là une suggestion à l'effet que son double Nicolas, cessant de jouer la comédie et le rôle du vainqueur Fortinbras s'apprête à revenir au réel dans sa nouvelle carrière ? On apprendra en effet que le scénario en cours — soit le roman — se construit à même le vécu du nouveau cinéaste.

Par ailleurs, plus d'un indice nous font croire que Nicolas, tout en se dissociant par son retour au réel de son double idéal Fortinbras, n'en garde pas moins des liens significatifs avec son autre double, Hamlet : son amour pour Sylvie, comme celui de Hamlet pour Ophélie, reste en souffrance et inaccompli ; Linda Noble, qui joue Ophélie, dans le télé-théâtre, est assimilée à Sylvie par Nicolas et son scénario ; le même scénario, présentant une scène de répétition de la pièce, prévoit trois récitations du poème de Hamlet à Ophélie : la première par le père Polonius à la reine Gertrude, la deuxième et la troisième en accompagnement de plans alternés de Linda et Sylvie, par Nicolas et Linda. Ajoutons, ce n'est pas le moindre indice d'association entre Nicolas et Hamlet, que les commentaires, "châsse" du scénario, porteront largement la marque de l'incertitude angoissée dans la recherche d'un inaccessible absolu. L'hésitation, l'irrésolution entre l'amour et la violence, entre le réel et le fictif, entre le temps discontinu de la vie et le temps continu du rêve, entre les limites du pays et les vastes espaces polaires, autant de données pour suggérer, au départ du roman, que Nicolas Vanesse cessant de jouer — ou d'être fictivement — Fortinbras, le seul victorieux des trois fils vengeurs, s'identifie plutôt au jumeau Hamlet, dans sa quête de certitude existentielle. De fait, l'aventure de Nicolas, scénariste réaliste, faisant de son propre vécu la matière de son scénario, sera marquée de la même angoisse métaphysique éprouvée par Hamlet dans la poursuite de son destin ; elle aboutira aussi aux mêmes tragiques corps-à-corps avec l'amour et la mort.

Du héros québécois comme de son double danois on est en droit de considérer qu'ils offrent des prototypes de cette angoisse métaphysique susceptible d'être éprouvée — à des degrés variables, va sans dire — par tout être pensant. Tant dans son aspect individuel que dans ses prolongements collectifs, ce phénomène ancestral, confirmé par les données de la chronopsychologie, trouve en eux d'éminents représentants.

> *"Apparaissant comme un privilège anthropologique, l'angoisse liée à la temporalité ombrage implicitement toute existence.*
>
> . . . .
>
> *Sémantiquement liée au sentiment obscur de la prévoyance du destin, à la peur de l'inconnaissable, à la qualité des premières relations objectales et au vertige de l'existence, l'angoisse colore fortement le vaste inconscient collectif et la genèse psychologique individuelle* (30)."

Sans nous attarder au personnage shakespearien, ce qu'il nous importe de souligner, c'est la mesure selon laquelle le héros-narrateur aquinien incarne une telle définition de "l'angoisse liée à la temporalité." Le commentaire "enchâssant" son scénario en est imprégné comme de sa principale substance ; par ailleurs, le scénario vécu lui-même ne représente guère, pour lui et les autres personnages, qu'une série d'expériences successives marquées au coin de l'angoisse.

Que le lecteur soit justifié d'étendre symboliquement cette angoisse à la collectivité, il suffit pour l'admettre de se rappeler d'une part la constante des romans antérieurs faisant du héros-narrateur un équivalent symbolique du peuple québécois, d'autre part, dans celui-ci particulièrement, le fait que si Nicolas, quittant le rôle théâtral du victorieux Fortinbras, pour entreprendre une quête hamlétienne d'identité et de certitude, c'est par Undensacre et le mystérieux tombeau de Fortinbras qu'est hantée l'entreprise, soit une mystique de reconquête du pays.

Quant au narrateur-commentateur, ce sera par de discrètes notations qu'il soulignera la portée collective de son entreprise ; "... Le voyage de l'avion au-dessus du nord du Québec figure aussi, par son altitude et sa trajectoire polarisée, la quête de l'absolu (p. 35)."

Ce "voyage de noces" entrepris par Nicolas et son amante Sylvie, voyage devant marquer un changement de vie pour les amants, "une coupure entre avant et après (p. 16)..." constitue lui-même, à n'en pas douter, une aventure symbolique qu'il y a lieu de traduire comme une quête collective d'identité nationale, Nicolas figurant le peuple québécois qui cherche dans l'ambivalence angoissée, à réconcilier son amour du pays, figuré par Sylvie, avec un *modus vivendi* — idéal et peut-être impossible — lui permettant de s'épanouir librement dans l'identité retrouvée. Toute cette croisière dans l'archipel norvégien du Svalbard, décrite par le scénario (dans un style dont la splendeur n'a rien à envier au paysage) s'amorce et se déroule sous le signe de l'angoisse des deux amants. Nicolas, blessé au pénis, à la suite de démêlés antérieurs, se sent aussi impuissant physiquement à consommer son amour pour Sylvie, à le "faire" selon l'expression consacrée, que moralement sceptique sur les possibilités de pleine réalisation de cet amour. Sylvie, pour sa part, n'éprouve pas moins que Nicolas l'angoisse suscitée par l'évolution de leur vie : "Oui, j'ai peur, quand tout se met à changer ; et depuis quelque temps, notre vie a changé, nous avons beaucoup changé (p.17)..."

Assez tard dans le récit, le lecteur apprendra le secret qui rend compte, pour la plus grande partie, de l'anxieuse inquiétude des amants concernant le sort de leur amour. C'est que Nicolas, jusqu'à la veille du départ, a eu en Michel Lewandowsky un rival qui n'était pas que l'amant, mais le propre père de Sylvie. On aura de plus toutes les raisons de croire que cette liaison incestueuse constituera le motif du meurtre de Sylvie, ensevelie dans les neiges du Spitzbergen, après avoir été sadiquement poignardée par Nicolas. Ce n'est qu'à la fin du récit que l'hypothèse du meurtre s'avérera moralement certaine, puisque le narrateur jusque-là, avant d'assurer que, même dans ce cas, le scénario respecte la vérité du vécu, laisse planer les deux autres hypothèses, tout aussi plausibles, de l'accident et du suicide. Dans ce suspense policier, si longtemps maintenu — et même jamais entière-ment résolu — se manifeste une fois de plus la virtuosité du romancier à garder jusqu'à la fin, et même au-delà, son lecteur en haleine.

Du point de vue du symbolisme nationaliste, cette adresse narrative est d'autant plus valable qu'elle ouvre, même dans les fausses pistes de l'accident et du suicide, des perspectives d'interprétation qui sont loin d'être négligeables. Conquis et aliéné de lui-même par un accident de l'histoire, le peuple québécois, dans la conjoncture actuelle, toujours soumis aux aléas de sa plus ou moins grande lucidité, pourrait tout aussi bien se suicider par un refus désespéré d'accéder à une identité libérante que se laisser assassiner par le pseudo-amour, jaloux et intolérant, de ceux que, pour une raison ou pour une autre, gêne son destin d'auto-détermination.

Mise à part l'hypothèse de l'accident, la seule acceptable et la plus commode pour la police norvégienne et le monde extérieur, restent celles du suicide et du meurtre, à tout prendre — symboliquement du moins — pas tellement dis-tinctes ou indépendantes l'une de l'autre. Le fait est que, psychologiquement parlant, si Nicolas trouvait, dans la rancoeur de l'amant trompé, de suffisants motifs de meurtres, Sylvie pour sa part, pouvait trouver dans ses dispositions fortement dépressives d'amante incestueuse de non moins suffisantes tendances au suicide. "Ici même, dans ta chambre, avoue-t-elle à son amant et père, je comprends soudain que ma vie est finie, ... que je ne serai jamais heureuse ni même consolée (p. 182) ..."

Ces dispositions suicidaires de Sylvie, ont par ailleurs largement contribué à la violence meurtrière de Nicolas, après avoir gravement entravé la puissance des amants à parfaire leur amour. On saisira mieux les implications de cette impuissance amoureuse, si l'on pense que pour la psychanaly-se, les atteintes à l'interdit de l'inceste comptent parmi les plus sérieuses et incurables blessures subies par la personnali-té. Au coeur du triangle oedipien, lui-même au coeur de la psychanalyse, se trouvent les fonctions conjuguées et complé-mentaires de la mère et du père : celle de la mère jouant comme limite restreignante, celle du père en étant une de clivage, de castration, mais aussi d'ouverture et d'accès à l'érogénéité.

Dans la conception freudienne de cette structure oedipienne triangulaire, ces fonctions maternelle et paternelle proprement exercées, donnent accès aux instincts de vie et au plaisir et agissent par là même comme antidotes aux instincts de mort. Reprise par les lacaniens, cette théorie du plaisir voit en ce dernier une défense contre la jouissance, celle-ci étant essentiellement celle de l'inceste par la rupture de l'interdit. L'expérience psychanalytique est là pour témoigner que cette transgression de l'interdit de l'inceste, quand elle se produit, rend virtuellement impossible l'avènement du plaisir sexuel, tout en rendant leurs pouvoirs néfastes aux instincts de mort. Ecoutons le psychanalyste Serge Leclaire nous résumer, à la suite de son expérience clinique, les séquelles de cette situation oedipienne d'inceste accompli, celle qu'on retrouve au centre de la relation amoureuse entre les deux principaux protagonistes de *Neige noire*, Sylvie et Nicolas :

> *Vous voyez [...] que le plaisir est bel et bien une sorte de défense contre la jouissance et que, de toute façon, à partir du moment où quelque chose de l'ordre de la jouissance survient* [31], *il n'est plus d'érogénéité possible, il n'est plus de plaisir à proprement parler ; d'où le caractère tout à fait marquant, irréversible et ineffaçable de ces expériences véritablement incestueuses où quelque chose de l'ordre de la limite s'est trouvé fondamentalement ruiné, c'est-à-dire quelque chose de la possibilité d'une organisation érogène, quelque chose de la possibilité de la mise en jeu du désir, du plaisir* [32].

Pour ramener au contexte et au vocabulaire freudiens ces propos du lacanien Leclaire, rappelons que la jouissance absolue, interdite (de l'inceste), dont il est ici question, est à rapprocher de ce que Freud situe, "au-delà du principe de plaisir", dans le registre des instincts de mort, soit du retour au repos, ou à la stase primitive préalable à la lutte pour la vie.

Et pour en revenir au roman, tout ce qui s'y développe entre Natchez-under-the-Hill et le Magdalenfjorden, à savoir entre le début de la liaison incestueuse de Sylvie et sa fin tragique, aux mains de Nicolas, dans la "neige noire" du

Spitzbergen, toute cette trame complexe d'amour, d'angoisse et de mort insérée dans une quête de conscience et de stabilité existentielles, ce qui nous permet de la transposer symboliquement au plan de la collectivité québécoise, c'est avant tout cette constante thématique aquinienne, mise en oeuvre dans les romans précédents, où les aventures d'écriture et d'amour, intimement — on pourrait dire : osmotiquement — reliées entre elles, se retrouvent invariablement associées à celles du pays. Vue dans cette optique, *Neige noire* apparaît comme une longue et pénétrante méditation, une exploration désespérée des faibles possibilités — pour ne pas dire : impossibilités — de mariage heureux entre l'amour du pays et son actuel destin de mort.

D'une part, Sylvie, la femme-pays (comme l'étaient K, Joan et Christine), aussi passionnément aimée que désespérément malheureuse, se tenant au coeur de l'affabulation romanesque :

> *Sylvie est la femme-femme, le miroir de l'amour, le vaisseau creux de Snaebjorn, l'oeuvre des oeuvres. Depuis le début et pour un temps encore, Sylvie est la structure porteuse du film : tout se réfère à elle, tout se greffe sur sa peau, tout se mesure par rapport à elle. Elle est l'origine et le terme de toutes les successions, et le symbole allusif de la durée* (p. 46).

D'autre part, Nicolas, l'amant éperdu, représentant des aspirations collectives, doutant de pouvoir atteindre au plein épanouissement amoureux :

> *On croit pénétrer la personne aimée ; on ne fait que glisser sur la peau reluisante de ses jambes. L'amour si délibérément intrusif soit-il, se ramène à une approximation vélaire de l'autre, à une croisière désespérante sur le toit d'une mer qu'on ne peut jamais percer* (p. 186).

De tels commentaires, rapprochés de celui, déjà cité, où "le voyage de l'avion au-dessus du nord du Québec" est présenté comme une figure de la quête de l'absolu, ne laissent guère de doute sur l'""appartenance"" québécoise sous-jacente à l'affabulation romanesque.

En supposant que le recours aux constantes intertextuelles de la thématique aquinienne ne suffisent pas à accréditer la lecture nationaliste en filigrane ci-devant proposée, il resterait pourtant difficile, sans elle, de s'expliquer la présence, au milieu du roman-scénario, du commentaire que voici :

> *(Jusqu'à présent, dans le film, on peut dire que le Québec est en creux. Son éclipse récurrente fait penser à l'absence d'une présence, à un mystère inachevé (p. 136) ...)"*

Comment dire plus clairement que la question québécoise demeure implicitement et symboliquement sous-entendue dans la trame romanesque, même si le présent passage est le seul où elle soit explicitement et littéralement mentionnée ? Notons encore que ladite question se trouve ici présentée comme grave, complexe et non résolue, toujours pendante... s'offrant donc à la réflexion du lecteur, et débouchant ainsi sur cette ouverture du roman dont nous avons déjà parlé. La scène par ailleurs dans laquelle s'insère le présent commentaire en est une particulièrement statique d'action suspendue, où Nicolas et Eva sont étendus comme "deux gisants" sur un lit d'hôtel en Norvège, après la mort de Sylvie ; Nicolas s'endort en disant : "Je ne serai jamais plus capable d'aimer." Ce qui ne l'empêchera pas pour autant de faire par la suite l'amour avec Eva ; mais cette dernière, qui devait jouer dans le film le rôle de Sylvie, ayant fini par saisir les dangers impliqués dans le cinéma-vérité à la Nicolas Vanesse, se retire auprès de Linda Noble. Le roman se termine sur les extases mystico-lesbiennes des deux amies devenues amantes, pendant que Nicolas s'en va réaliser son film à Repulse Bay, dans le grand nord canadien. Dénouement plutôt pessimiste au total, puisque le lecteur se retrouve devant un bilan négatif d'amour impuissant et stérile, où seul triomphe "l'espace irréductible qui sépare deux amants [...] et leur interdit la vraie fusion (p. 186) !"

A moins que, correspondant aux merveilleux "artifices de l'écriture" offerts par le roman, le lecteur ne soit malgré tout incité à "surmonter l'inévitable spatialisation du temps qui fait qu'on vieillit en dehors de la durée de la personne aimée (p. 186) ."

Non moins déroutantes que les précédentes, plus impressionnantes que jamais, les admirables constructions verbales de *Neige noire* offrent à tout lecteur avide d'aventures neuves de l'esprit une occasion sans pareille de vivre une expérience esthétique des plus rares et des plus fascinantes. Pour l'"interlocuteur inné" québécois, cette expérience, rejoignant en lui les données toujours incertaines du destin collectif, sans rien perdre de ses enrichissantes vertus artistiques, atteint jusqu'aux fibres les plus vitales de sa personnalité, engagée, comme celle de l'auteur dans la même commune quête d'identité.

Aquin reçoit le prix David en 1972

Caricature de Bado parue dans *le Devoir* le 26 octobre 1974

Tous les prétextes sont bons pour fêter : le 8 janvier 1976, prétextant l'anniversaire de naissance de Gaston Miron, une quarantaine d'écrivains avaient répondu à l'invitation de Gaëtan Dostie pour faire la fête. Voici quelques-uns de ceux qui étaient présents au moment de la photo et qui ont pu entrer dans le "grand angle" de la caméra de Kèro. On reconnaîtra dans l'ordre habituel, de gauche à droite :
ASSIS : Jean-Yves Colette, Renée Dupuis-Morency, Louis Royer, Jean-

Pierre Guay, Gaëtan Dostie, Pauline Julien.
DEBOUT : Yves DuChatel, Pierre Trochu, Henri Tranquille, Lise Clou-tier-Trochu, Michel Beaulieu, Gérald Godin, Jean Royer, Pierre Moren-cy, Michèle Lalonde, (derrière elle) Gaston Miron, Réginald Hamel et sa fille, puis au premier plan, Hubert Aquin, Paul-Marie Lapointe, Roland Giguère et Hubert Wallot.

Photo de Kèro prise le 22 janvier 1977 lors d'une fête chez l'éditeur de Parti Pris. De gauche à droite : André Roy, Gaëtan Dostie, Claude Beausoleil et Aquin

Photo prise au lancement de *Trou de mémoire* à la Bibliothèque nationale du Québec en 1968

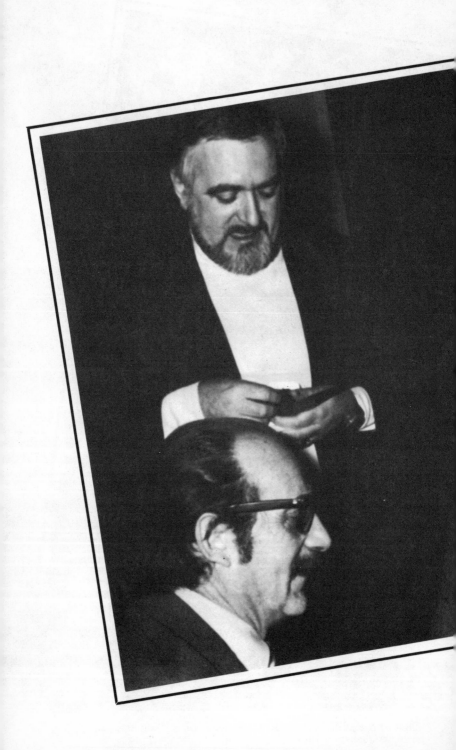

Aquin entouré de Jacques Languirand , Jacques Lamarche et d'un journaliste

LA TRAME ESTHETIQUE
SUR LA CHAINE QUEBECOISE

Au terme de notre périple à travers le roman aquinien, comment ne pas en venir à la conclusion que sa texture québécoise, celle que nous avons tenté de retracer dans la contexture complexe du tissu romanesque, que cette fibre québécoise constitue la substance première de l'inspiration aquinienne. Devant cette quadrilogie romanesque dont la thématique nationale, aussi constante que diverse, reflète les complexités et avatars d'une conscience collective trouble en état d'émergence, c'est la notion d'épopée qui vient solliciter l'esprit en mal d'une définition — ou caractérisation — d'ensemble. Pourtant, même si le destin collectif se trouve mis en cause [1], malgré la dimension collective des personnages, la portée symbolique des actions et les fastueuses amplifications du style baroque, il faut en revenir à la notion de roman, sans nier à l'oeuvre ses résonances épiques, ne serait-ce pour la simple raison que, comme le dit Lukacs, "entre l'épopée et le roman — les deux objectivations de la grande littérature épique — la différence ne tient pas aux dispositions intérieures de l'écrivain, mais aux données historico-philosophiques qui s'imposent à sa création [2]." L'épopée constituant en effet l'apanage d'un monde où la totalité de la vie correspond aux aspirations intimes de l'âme, elle ne convient guère à un monde comme le nôtre, où le morcellement et la dispersion prennent trop de place pour en laisser à aucune globalité. Le monde "clos et parfait" des ères épiques, ne saurait plus suffire à l'homme moderne, qui ne peut plus se concevoir comme partie intégrante d'un univers préconçu et préétabli, du type homérique ou dantesque, dont les limites et les exigences établissent les obligations et les critères qui distinguent les héros. "Nous avons découvert que l'esprit est créateur ; et c'est pourquoi, pour nous, les archétypes ont définitivement perdu leur évidence objective, et notre pensée suit désormais le chemin infini de l'approximation toujours inachevée [3]."

Suivre "le chemin infini de l'approximation toujours inachevée", nulle formule ne saurait mieux définir le sens de la suite romanesque aquinienne. Tout en se rattachant à "la grande littérature épique", elle se dissocie nettement du monde et de l'ère de l'épopée proprement dite, dans la mesure où "tous les hommes de ces temps-là sont philosophes, détenteurs du but utopique de toute philosophie (4)." La philosophie de l'homme moderne étant devenue, dans les termes de Novalis, "nostalgie, aspiration à être partout chez soi", elle ne saurait plus, tant comme forme de vie que comme inspiration littéraire, s'ancrer dans ces absolus transcendantaux (dieux, patrie, amour, famille) dans lesquels s'enferme l'univers épique. Son obligation morale étant devenue, à l'exclusion de tout impératif métaphysique absolu, "l'unique et indestructible relation à la substance (5)", sa philosophie devient par le fait même, en vertu des "données historico-philosophiques qui s'imposent à sa création", une ouverture plutôt qu'une fermeture, "le symptôme d'une faille entre l'extérieur et l'intérieur, significative d'une différence essentielle entre le moi et le monde, d'une non-adéquation entre l'âme et l'action (6)."

On se rappellera sans peine dans quelle mesure et avec quelle impulsion contraignante cette "non-adéquation entre l'âme et l'action" a contribué à l'avènement du roman aquinien, pour se poursuivre et s'amplifier, au-delà des données nationalistes prépondérantes du début, jusqu'à cette quête existentielle élargie qui informe la structure mouvante de *Neige noire*. C'est dire que la question québécoise, cette texture graduellement implicitée, mais toujours immanquablement constitutive de l'oeuvre, malgré les apparences d'absolu transcendantal qu'elle pourrait offrir, ne représente elle-même, dans sa présence constante et fondamentale qu'une, entre autres, de "ces données historico-philosophiques qui s'imposent à sa création", pour reprendre la pénétrante formule de Lukacs.

Dans cette perspective, on peut dire que le mal de vivre québécois, si profondément et vivement reflété dans les romans d'Aquin, ne représente en somme qu'une forme localisée, concrétisée de l'universelle condition de l'homme, en quête, face au monde extérieur, de sa propre identité. Cette problématique recherche d'identité ne pouvant s'exercer dans l'abstrait, elle doit nécessairement se situer et se poursuivre dans un milieu précis donné, en rapport avec une collectivité sociale ambiante, dont le sort, soit l'identité commune et active, ne peut manquer de conditionner et de marquer celle des individus qui la composent. L'homme étant — on l'a souvent dit — un animal social, nul ne peut se définir sans une appartenance, une relation vitale au groupe naturel et culturel qui l'enracine et le soutient dans son action et son évolution. Cette appartenance, par trop confuse et déficiente dans le cas du Québec et des Québécois, ne pourra jouer pleinement son rôle d'épanouissement, collectif et individuel, que le jour où elle saura s'affranchir des liens troubles internes (ou psychologiques) et externes (ou légaux) qui l'obscurcissent et l'entravent dans son fonctionnement.

Voilà le sens profond de la texture québécoise du roman aquinien : l'homme québécois, aspirant, comme tout homme, à des relations valables avec l'univers, ne pourra y arriver qu'à condition de sortir de cette amnésie historique qui en fait un citoyen ambigu de nulle part, pour entrer de plein pied dans l'histoire, arborant une identité définie par sa fière appartenance à un pays certain.

C'est à ce point critique de la recherche, encore incertaine et angoissée d'une réalisante identité qu'en sont les intrigues et personnages romanesques d'Aquin. Et c'est dans ce sens que se justifie la remarque déjà citée de Jacques Folch, à savoir qu'"Hubert Aquin est peut-être le premier écrivain qu'il faudrait lire pour saisir la complexité du Québec."

On pourrait dire à cet égard qu'il y a une similitude assez frappante entre Hubert Aquin et Jacques Ferron, dont on a justement dit que "l'oeuvre, autant que le pays, est incertaine (7)." Il y a pourtant, outre les styles d'écriture, que les récits de Ferron s'appuient davantage sur la création d'un univers mythique inspiré de l'histoire et de l'actualité québécoise (8), alors que ceux d'Aquin ont plutôt tendance à nier l'histoire, pour accentuer, en face d'un présent confus et angoissant, l'urgence d'assurer un avenir en voie d'évanescence. Aquin fera dire en effet à l'un de ses personnages de *Trou de Mémoire* — on ne sait au juste lequel, et cela ne manque pas d'être significatif — :

> *"Mais justement ce pays n'a rien dit ni rien écrit : il n'a pas produit de conte de fée, ni d'épopée pour figurer, par tous les artifices de l'invention, son fameux destin de conquis : mon pays reste et demeurera longtemps dans l'infra-littérature et dans la sous-histoire. C'est tout juste s'il enfante quelques malades comme moi, de ci de là en pur gaspillage et sans les nommer (p. 56)..."*

Et la tirade se poursuit pour fustiger l'apathie et le mutisme collectifs, évoquant farouchement l'improbable réveil révolutionnaire qui permettra "que, d'un seul coup, tous les personnages retrouvent la mémoire en même temps que le fil de l'intrigue..."

A cet appel désespéré, ce "cri de détresse et de mort", lancé, à vrai dire, par toute l'oeuvre aquinienne, correspond à sa façon — généralement plus humoristique et sereine, mais occasionnellement non moins virulente — la fort lucide analyse ferronienne du pays incertain ; non seulement elle y correspond, mais encore peut-on dire qu'elle y répond : dans la mesure où par son aspect mythologique, elle offre déjà à l'éventuel pays certain ces contes de fées et récits épiques appelés par le héros de *Trou de Mémoire*. "Le Québécois, écrit Donald Smith, n'a peut-être pas encore un statut légal de peuple, mais l'oeuvre de Ferron annonce déjà son avènement, lui fournissant du même coup ses premiers mythes [9]."

Pour clore ce rapprochement entre deux oeuvres profondément inspirées de l'appartenance québécoise, disons que si la narration de Ferron, plus traditionnelle de forme et mythique d'inspiration, tend davantage vers l'épopée proprement dite et sa "totalité de vie achevée par elle-même [10]," par contre celle d'Aquin, plus révolutionnaire dans sa forme et stridente dans la quête d'identité et de liberté, relève plutôt du roman, qui "cherche à découvrir et à édifier la totalité secrète de la vie [11]."

Ce ne sont là qu'approximations relatives présumées utiles, n'ayant d'autre but que d'aider une plus juste caractérisation de l'oeuvre. Dire que l'oeuvre d'Aquin appartient, plus que celle de Ferron, à la conception du roman, voire la plus moderne, ce n'est pas nier pour autant qu'elle soit dénuée de tout caractère épique : le rythme trépidant des actions et leur extravagance, le poids symbolique des personnages, la démesure baroque de l'écriture et de la composition, autant de traits, nous le rappelons, qui permettent de parler d'épopée, au sens large tout au moins. D'autant plus que, selon la conception de Lukacs, déjà évoquée, les deux genres relèvent de ce qu'il appelle "la grande littérature épique" et que la distinction entre les deux relève plutôt des circonstances historico-philosophiques offertes à l'écrivain qu'à ses goûts et tendances personnelles. On connaît déjà l'"appartenance" inspiratrice de l'écriture d'Aquin ; il est intéressant de remarquer comment son oeuvre romanesque, incluant ses dimensions épiques, semble bien correspondre en tout point à la définition du roman donnée par Lukacs :

> *"Le roman est l'épopée d'un temps où la totalité*
> *extensive de la vie n'est plus donnée de manière*
> *immédiate, d'un temps pour lequel l'immanence*
> *du sens à la vie est devenue problème mais qui,*
> *néanmoins, n'a pas cessé de viser à la totalité* (12)."

Comme on peut voir, s'il est vrai que, toujours dans les termes de Lukacs, "la grande littérature épique n'est que l'utopie concrètement immanente de l'heure historique (13)," dans la mesure où la révolutionnaire "incohérence" aquinienne peut être considérée comme utopique, il ne manque certes pas de raisons de voir l'oeuvre, parallèlement à celle de Ferron, comme une impressionnante épopée de la situation québécoise actuelle. Par ailleurs, dans la mesure où les éléments essentiels de l'épopée proprement dite — effacement du sujet et totalité — y font plutôt place aux éléments problématiques et incertains constitutifs du roman, l'oeuvre aquinienne se présente tout autant, voire davantage à tout prendre, comme une transposition sur le plan imaginaire d'une réalité politico-sociale trouble et traumatisante ; transposition dont l'inspiration (soit la fonction émotive du langage), tend et aspire de tout le vibrant éclat de l'écriture (soit la fonction poétique du texte), vers un thérapeutique redressement de cette situation collective (jouant ainsi sur la fonction référentielle toujours présente, comme on l'a vu, même si progressivement effacée ou implicitée).

Nous en revenons ainsi à un aspect initial de l'oeuvre romanesque d'Aquin, sur lequel nous avons déjà insisté au départ : son incomplétude inhérente et voulue, son ouverture à des prolongements requis et attendus, pour que le plan de la réalité et de l'action concrètes puissent éventuellement rejoindre et compléter, réaliser dans les faits celui de la fiction romanesque et boucler ainsi la boucle de la complexe et difficile émancipation québécoise.

Se défendant d'écrire une oeuvre engagée, tout en défendant l'inévitable "appartenance" québécoise de son inspiration, il n'y a pas de doute qu'Aquin ait relevé avec succès le défi ainsi proposé, dans son heureuse persistance à considérer ses fictions romanesques comme des "tissus d'art" autonomes ; de sorte que cette ouverture sur le réel, le référentiel québécois particulièrement, pas plus dans la forme romanesque effective que dans l'intention de l'auteur, ne met en question la priorité artistique de l'oeuvre.

La progression, déjà signalée, qui fait passer, du premier au dernier roman, la question nationale de la directe et explicite mise en relief à la discrète et implicite mise "en creux", cette évolution du récit aquinien du pôle nationaliste vers le pôle artistique, représente en elle-même une confirmation de cette position selon laquelle "l'art entendu comme une véritable fin", dans les termes de Bataille déjà cités, constitue "la seule voie libérant l'objet fabriqué de la servilité de l'outil."

Paradoxalement peut-être, mais du point de vue de l'ouverture sur le réel et l'action, cette progressive accentuation de l'art dans la forme romanesque, on peut affirmer qu'elle offre une anticipation figurative de ce progrès dans l'auto-réalisation proposé par l'écrivain pour son peuple et son pays. Cette progression part en effet du point zéro introduit par la situation coloniale paralysante, puis, en passant par une géniale utilisation positive et créatrice de cette entropie, débouche sur un affranchissement de l'oeuvre, lui permettant d'atteindre à une pleine liberté d'expression artistique, dégagée tant de l'engagement servile que de la récupération par le régime établi. Cette émancipation par laquelle l'oeuvre réussit à transcender (sans les nier, mais en les assumant) les contradictions initiales qui entravaient sa naissance et son essor pour atteindre aux libres sphères du grand art, cette émancipation représente pour "l'axe du pays natal" le plus beau modèle qui soit d'une évolution vers un destin de plein épanouissement. On peut même ajouter que cette vigoureuse production romanesque constitue en soi une réalité irrécusable, une réalisation concrète de libération qui, non seulement sur le plan imaginaire préfigure exemplairement les autres possibles, mais en apporte, sur le plan existentiel, d'indiscutables et concrètes prémices.

Nous savons comment "l'axe du pays natal", tout en cédant graduellement (du premier au second couple de romans) la vedette aux formes esthétiques, n'en reste pas moins foncièrement et fortement impliqué dans les structures signifiantes de la narration. Cet axe qui, sans cesse chez l'auteur, pour reprendre son propre témoignage, "coïncide implacablement avec celui de la conscience de soi", ne manque pas de prolonger et de stimuler (par sa présence agissante au coeur même de la fonction esthétique du message romanesque), la même implacable coïncidence avec la conscience de soi jusque chez le lecteur, et par la "multiplication de [ses] yeux", éventuellement jusqu'à la collectivité nationale entière. Tant il est vrai que, sans rien renier des visées artistiques prioritaires qui garantissent les conditions d'excellence de l'oeuvre, "l'écrivain, selon la formule d'Aquin lui-même, est générateur de conscience, il questionne, trouble, remet en question, renverse les valeurs acquises."

N'est-il pas opportun de rappeler ici le mot de Michelet à propos de l'histoire : "ce qu'elle dit, elle le produit", ou encore celui de Mallarmé sur la poésie : "Enoncer, c'est produire ?" Ces deux formules, inscrites en fronticipice d'une étude de Jean-Pierre Faye [14], lui servent d'amorce à de fort pertinentes considérations sur les énigmatiques rapports de causalité susceptibles de s'établir entre le récit imaginaire — ou partiellement fictif — et une action conséquente ; ce que Faye, dans un autre essai, appelle "l'effet Mably" et définit dans la proposition suivante : "il existe dans l'histoire un effet de *production d'action* par le récit [15]." Ces réflexions se fondent sur un texte de l'historien Mably [16], où il est raconté que de jeunes Huns, chassant sur les bords de la mer d'Azov, auraient franchi un marais en poursuivant une biche, pour se retrouver, ébahis, "dans un nouveau monde". De retour dans leurs familles, ils racontèrent les merveilles qu'ils avaient vues et, ajoute Mably, évoquant l'invasion qui devait s'en suivre de l'Europe par les barbares et celle de la Gaule par les Francs, "les récits par lesquels ils piquaient la curiosité de leurs compatriotes, devaient changer la face des nations [17]."

Certes il n'est pas question de prétendre qu'à tout récit correspond nécessairement un effet conséquent, mais bien d'entrevoir quelle sorte d'interdépendance peuvent exister entre une narration fictive et une éventuelle action effective dans les cas, comme le présent, où une oeuvre romanesque correspond si adéquatement à la conjoncture historique qui a présidé tant à sa naissance qu'à sa consistance.

En face des évidentes et prégnantes qualités d'ouverture des romans d'Aquin, rien ne semble plus opportun que de réfléchir sur les éventuels développements de la réalité susceptibles d'en prolonger la correspondance, en fournissant aux questions qu'ils posent les réponses qu'ils postulent.

Après avoir constaté avec Jean-Pierre Faye que "ce n'est pas un hasard si la Russie a dû attendre d'avoir une littérature, avant d'avoir une Révolution [18]," il convient encore d'observer avec lui : "Cet effet de la narration sur l'action qu'elle est en train de narrer — cet effet qui passe par la fiction, "par le faux et par le vrai, par l'histoire et par le roman [19]" — voilà la précise énigme qu'il pourrait s'agir d'explorer [20]."

Mais nous voici revenus à cette difficile et inquiétante frontière entre l'art et l'action que notre romancier, répondant à ses instincts et ses dons les plus sûrs, a su franchir de l'habile et efficace façon que l'on sait, en optant pour l'imaginaire, sans pour autant le priver de ces qualités d'ouverture sur l'action qui en imprègnent et dynamisent tout l'élan artistique.

> *Car l'imaginaire, qu'est-ce que c'est ? Non pas un "autre" monde que l'on peut s'en aller explorer et décrire, tout comme le premier. Mais ce viseur, agile et oscillant, qui permet de voir sans la présence, et qui est la condition même rendant possible l'émission du récit : c'est lui qui permet au chasseur Hun de raconter son "nouveau monde", de l'é-voquer ou de le signifier par ses mots ; c'est aussi ce qui permet à ses auditeurs d'entendre ces mots-là, de voir ce monde se profiler devant leur "entendement", de le concevoir tout au moins, en attendant d'y aller voir, avant de se mettre en route vers lui [21]."*

Tout ceci pour dire à la fin que la fibre québécoise, plus ou moins apparente, mais toujours présente, du roman aquinien (incluant les incitations à la conscience et à l'action), tout en étant consubstantielle à son "tissu d'art" est bien loin de l'affaiblir. Elle contribue au contraire, en vertu même de cette "intime liaison, dont parle Lukacs, entre le sujet créateur et l'objectivité", à enrichir sa qualité esthétique de ce profond enracinement dans la réalité collective qui la sustente et l'anime.

Tout en constituant pour le lecteur québécois une expérience privilégiée de participation à une création autochtone, entée sur — ou hantée par — les aléas vitaux du destin national, l'oeuvre romanesque d'Hubert Aquin demeure, pour la légitime fierté du même lecteur-compatriote, un prestigieux produit de littérature francophone, universellement valable, comparable aux meilleurs à l'échelle internationale.

Edition princeps, 1971

Photo prise au lancement de *Trou de mémoire* à la Bibliothèque nationale du Québec en 1968

REFERENCES

I

LE FIL ET LE TISSU

1. *Trou de Mémoire*, Montréal, Le Cercle du Livre de France, 1968, p. 55

2. *Revue Europe*, février-mars, 1968, p. 68

3. cf. "Profession : écrivain", in *Point de fuite*, Montréal, Le Cercle du Livre de France, 1971, p. 55

4. "Ecrivain faute d'être banquier", in *Point de fuite*, Montréal, Le Cercle du Livre de France, 1971, p. 16

5. "Comprendre dangereusement", in *Liberté'*, Vol. III, No 17, 1961, p. 679

6. Ibid.

7. Id., p. 680

8. "Le bonheur d'expression", in *Liberté*, Vol. III, No 19, p. 743

9. cf. Jacques Pelletier "Sur *Neige noire*. L'oeuvre ouverte d'Hubert Aquin", in *Voix et Images*. P.U.Q. Vol. I, No I, septembre 1975, p. 19 et 20

10. Id., p. 20

11. cf. Freud, "Création littéraire et rêve éveillé", in *Essais de psychanalyse appliquée*, Paris, Gallimard, Coll. Idées, N.R.F., p. 81

12. *Prochain Episode*, Montréal, Le Cercle du Livre de France, 1965, p. 70
Les références à ce roman seront désormais données dans le texte, par l'indication de la page.

13. *Essais de Linguistique générale*, Paris, Minuit, 1963, p. 31

14. Id., p. 210

15. *Théorie de la religion*, Paris, Gallimard, 1973, p. 39

16. "Non seulement la linguistique est la première des disciplines qui ont l'homme pour objet à avoir élaboré une méthodologie rigoureuse et à s'être vraiment constituée en science, mais, d'un autre côté, les anthropologues se persuadent de plus en plus que le langage, ou plus généralement, la fonction symbolique, est le caractère le plus propre à définir l'homme."
N. Ruwet, in *"Préface"*, aux *Essais de Linguistique générale*, op. cit.

17. Op. cit., p. 213

18. Jakobson, ibid.

19. Op. cit., p. 214-220

20. Op. cit., p. 238

II

LA FONCTION ESTHETIQUE

1. Thomas Winner, "Les grands thèmes de la poétique jakobsonienne", in *L'Arc*, No 60, mars 1975, p. 60

2. Revue *Perspective*, 14 oct., 1967, reproduit dans *Point de fuite*, Montréal, Le Cercle du Livre de France, 1971, p. 14

3. *Fables, Contes et Nouvelles*, Paris, N.R.F., "Bibliothèque de la Pléiade", 1959, p, 347

4. *Point de fuite*, op. 19

5. Thomas Winner, op. cit., p. 58

6. Id., p. 59

7. Sans doute le cas n'est-il pas unique dans les lettres : songeons seulement à Kafka, à Bretch et à Joyce, pour n'en citer que quelques-uns.

8. "Profession : écrivain", in *Parti Pris*, déc., 1963. Reproduit dans *Point de fuite*, p. 50, 51

9. *Point de fuite, p. 14*

9. *Point de fuite*, p. 14

10. Ibid.

11. Ibid.

12. "Profession : écrivain", in *Point de fuite*, p. 52

13. Id., p. 54

14. Id., p. 52

15. *La Signification présente du réalisme critique*, Paris, Gallimard, 1972, p. 139

16. Rappelons-nous que décembre 1963 se situe au début de ces vagues successives du terrorisme québécois qui devait durer jusqu'en octobre 1970.

17. "Profession : écrivain", in *Point de fuite*, p. 52

18. Id., p. 55

19. Id., p. 57

20. *La Signification présente du réalisme critique*, Paris, Gallimard, 1972, p. 104

21. Ibid.

22. "Profession : écrivain", in *Point de fuite*, p. 51

23. Id., p. 54

24. "Pour un prix du roman", in *Liberté*, Vol. IV, No 22, avril 1962.

25. "Comprendre dangereusement", in *Liberté*, Vol. III, No 17, 1961, p. 680

26. Ibid.

27. "L'existence politique", in *Liberté*, Vol. IV, No 21, mars 1962. p. 74

28. Patricia Smart, *Hubert Aquin, agent double*, Montréal, Presses 'de l'Université de Montréal, 1973, p. 31

29. "La fatigue culturelle du Canada français", in *Liberté*, Vol. IV, No 23, mai 1962, p. 308

30. Patricia Smart, op. cit., p. 128

31. Id., p. 129

32. Ibid.

33. cf. "La fatigue culturelle du Canada français", in *Liberté*, Vol. IV, No 23, mai 1962, p. 50

34. "Littérature et aliénation", *Mosaic*, Vol. II, No 1, automne 1968, p. 50
Cité par Patricia Smart, op. cit. p. 129

35. Patricia Smart, op. cit., p. 10

36. cf. *Trou de Mémoire*, p. 56

III

L'OUVERTURE BAROQUE

1. Jean-François Maillard, *Essai sur l'esprit du héros baroque*, Paris, Nizet, 1973, p. 24

2. *Du Baroque*, Paris, Gallimard, 1968, p. 166

3. "Profession : écrivain", in *Point de fuite*, Montréal, Le Cercle du Livre de France, 1971, p. 59

4. Eugenio d'Ors, op. cit., p. 83

5. Eugenio d'Ors, p. 90

6. Op. cit., p. 13

7. Jean Rousset, *La littérature de l'âge baroque en France*, Paris, Corti, 1953, p. 181, 182

8. Op. cit., p. 231

9. Cité par Umberto Eco, *L'Oeuvre ouverte*, Paris, Seuil, 1965, p. 22

10. Id., p. 21

11. Id., p. 22

12. Umberto Eco, *L'Oeuvre ouverte*, Paris, Seuil, 1965, p. 25

13. Dans un autre ordre, mais dans le même esprit, le compositeur George Rochberg, dit à propos de son récent *Concerto pour violon et orchestre* : "Every time you write a serious work, you are in effect laying your life on the line." *Time* magazine, May 5,

1975, p. 52

14. Entrevue de Jean Bouthillette, "Ecrivain, faute d'être banquier", in *Point de fuite*, Cercle du Livre de France, 1971, p. 13

15. "Profession : écrivain", in P*oint de fuite*, p. 53

16. Op. cit., p. 88

17. Ibid.

18. Id., p. 90

19. Id., p. 91

20. Id., p. 92

21. *Prochain Episode*, Montréal, Cercle du Livre de France, 1965, p. 32

22. Roman Jakobson, *Essais de linguistique générale*, Paris, Minuit, 1963, p. 31

23. Op. cit., p. 26, 27

24. Id., p. 27

25. Ibid.

26. cf. La première phrase du roman : "Cuba coule en flammes au milieu du lac Léman pendant que je descends au fond des choses."

IV

LES TEXTURES ROMANESQUES
PARTICULIERES

1. Cité par Patricia Smart, op. cit., p. 27

2. *Prochain Episode*, Montréal, Le Cercle du Livre de France, 1965, p. 7
Les références à *Prochain Episode* seront désormais données dans le texte par l'indication de la page.

3. *Le Magazine MacLean*, Vol. VI, No 9, septembre 1966, p. 41

4. Op. cit., p. 64

5. Questions qui nous ramènent à la notion freudienne déjà mentionnée de la "prime de séduction ou plaisir préliminaire", notion au sujet de laquelle l'auteur (Freud), en conclusion de son essai, formule l'hypothèse suivante qui ne manque certes pas d'intérêt : "Je crois, écrit-il, que tout plaisir esthétique produit en nous par le créateur présente ce caractère de plaisir préliminaire, mais que la véritable jouissance de l'oeuvre littéraire provient de ce que notre âme se trouve par elle soulagée de certaines tensions. Peut-être même que le fait que le créateur nous met à même de jouir désormais de nos propres fantasmes sans scrupule ni honte contribue-t-il pour une large part à ce résultat."
Freud, "La création littéraire et le rêve éveillé", in *Essais de psychanalyse appliquée*, Paris, Gallimard, coll. Idées, N.R.F., 1971, p. 81

6. Entrevue avec Jean Bouthillette, reproduite dans *Point   de*

fuite, Montréal, Cercle du Livre de France, 1971, p. 16

7.   Id., p. 14

8.   Id., p. 16

9.   Op. cit., p. 111

10. cf. Patricia Smart, op. cit., p. 117

11. *Trou de Mémoire*, Montréal, Le Cercle du Livre de France, 1968, p. 204
     Les références à *Trou de Mémoire* seront désormais indiquées par le numéro de la page dans le texte.

12. Id., p. 123

13. Op. cit., p. 96

14. Patricia Smart, id., p. 98

15. "Sur *Neige noire*. L'oeuvre ouverte de Hubert Aquin", in *Voix et Images*, Vol. I, No 1, septembre 1975, p. 20, 21

16. *L'Antiphonaire*, Montréal, Le Cercle du Livre de France, 1969, p. 45
     Les références à *L'Antiphonaire* seront désormais indiquées par le numéro de la page dans le texte.

17. Jean Bélanger ("*L'Antiphonaire*", in *Etudes françaises*, Vol. 6, No 2, mai 1970, p. 218 et 219) s'en prend à cette expression "québécoise à mort", qu'il cite, parmi d'autres, comme un exemple du "relâchement immotivé" de la langue du roman, "phénomène qui tend à devenir une habitude fâcheuse dans notre littérature". Bien loin d'être d'accord avec cette remarque (séquelle, semble-t-il, de l'argument esthétique dans le débat sur le "joual", en littérature), nous croyons au contraire que, dans le présent cas, il s'agit bien, dans les termes de Bélanger, "d'utiliser les différents niveaux de langue quand ils sont nécessités par une exigence intérieure à l'oeuvre... quand leur apparition est pertinente et signifiante". Que l'expression québécoise courante : "à mort" soit ici très habilement utilisée, de façon "pertinente et signifiante", dans sa double acception, c'est ce que le présent exposé devrait amplement démontrer.

18. Expression médicale désignant l'ensemble des symptômes de la période préparatoire à la crise proprement dite.

19. A propos de cette percée fulgurante du roman aquinien dans le contexte élargi de la culture occidentale, percée qui visiblement tranche sur la tradition romanesque québécoise, Albert Léonard dit fort justement : "Le roman était à la fois une délivrance, une sorte de catharsis, un cri de délivrance, de nostalgie et d'angoisse, presque toujours un moyen d'identification et le rêve d'un paradis perdu. La synthèse intégrante n'y avait pas sa place, je veux dire la capacité d'écrire un récit dans une perspective panculturelle qui présuppose l'assimilation de l'ensemble des idées-forces sur lesquelles s'est constitué l'Occident. En un mot le roman québécois avait tendance à tourner en rond... Hubert Aquin est sans doute le premier romancier québécois à avoir fait un pas décisif dans le sens de la création globale." (Un romancier virtuose : Hubert Aquin. A propos de *L'Antiphonaire*" in *L'Oeu-*

vre littéraire et ses significations, Montréal, Presses de l'Université
du Québec, 1970, p. 191)

    in *L'Oeuvre littéraire et ses significations*, Montréal, Presses de
l'Université du Québec, 1970, p. 191

20.   *Le Canadien français et son double*, Montréal, *l'Hexagone*, 1971

21.   "Déchiffrons *L'Antiphonaire*", in *Voix et Images*, Vol. I, No 1,
septembre, 1975, p. 28

22.   Termes des théoriciens de la nouvelle critique et du nouveau
roman servant à désigner cette pratique d'écriture et de lecture
qui permet à des textes distincts de s'appeler et de s'éclairer
mutuellement.

23.   Patricia Smart, op. cit., p. 98

24.   *Trou de Mémoire* : "Mais moi, j'écris au niveau du pur blasphème : oui, j'écris ce que je comprends, ce que je projette de faire,
ce que j'ai fait (pauvre Joan...), mais cela ne fait que commencer.
Les plombs n'ont pas fini de sauter ; Joan est morte, mais cela
n'est qu'un début..." (p. 57)

25.   (dans la signification implicite et ouverte suggérée par la structure
d'ensemble du roman)

26.   "Ecrivain faute d'être banquier", in *Point de fuite*, Montréal, Le
Cercle du Livre de France, 1971, p. 19

27.   *Neige noire*, Montréal, La Presse, 1974, p. 196
Les citations de *Neige noire* seront désormais identifiées par
l'indication de la page entre parenthèses dans le texte.

28.   "La Conception dualiste de l'âme et le culte des jumeaux", in
Don Juan et le Double, étude psychanalytique, Paris, Payot,
s.d., p. 96

29.   Id., p. 97

30.   Poiret, Christian, "Sur la dissolution fonctionnelle des horloges
psychologiques", in *Protée*, Université du Québec à Chicoutimi,
Vol. IV, No 2, Automne 1975, p. 93

31.   Lire : quelque chose qui transgresse l'interdit de l'inceste.

32.   "A propos de la jouissance, remarques sur le point de vue psychanalytique", in *Séminaires* (Centre Universitaire de Vincennes),
Paris, La Lettre infâme, 1969, p. 89

V

LA TRAME ESTHETIQUE
SUR LA CHAINE QUEBECOISE

1.   "En toute rigueur, le héros d'épopée n'est jamais un individu. De
tout temps, on a considéré comme une caractéristique essentielle
de l'épopée le fait que son objet n'est pas un destin personnel,
mais celui d'une communauté." (Georges Lukacs. *La Théorie du
roman*, Paris, Ed. Gonthier, 1963, p. 60)

2. *La Théorie du roman*, Paris, Editions Gonthier, 1963, p. 49

3. Lukacs, op. cit., p. 24

4. Id., p. 20

3. Lukacs, op. cit., p. 24

4. Id., p. 20

5. Id., p. 24

6. Id., p. 20

7. Mélançon, Robert, "Géographie du pays incertain", in *Etudes françaises*, Vol. XII, Nos 3-4, octobre, 1976, p. 292

8. "Le mot mythique représente l'épithète la plus juste pour comprendre et apprécier l'oeuvre de Jacques Ferron." Smith, Donald, "Un théâtre mythique", in *Etudes françaises*, Vol. XII, Nos 3-4, octobre, 1976, p. 340

9. "Un théâtre mythique", in *Etudes françaises*, Presses de l'Université de Montréal, Vol. XII, Nos 3-4, octobre, 1976, p. 341

10. Lukacs, op. cit., p. 54

11. Ibid.

12. Op. cit., p. 49

13. Op. cit., p. 51

14. *Le récit hunique*, Paris, Seuil, 1967

15. *Théorie du récit*, Paris, Hermann, 1972, p. 19

16. *Observations sur l'Histoire de France*, Nouvelle Edition, 1788, Tome premier.

17. Cité par Faye, *Théorie du récit*, p. 19

18. *Le récit hunique*, Paris, Seuil, 1967, p. 16

19. Faye rappelle ici la formule par laquelle Augustin Thierry caractérise la méthode narrative utilisée dans le "roman" de Mably.

20. *Théorie du récit*, Paris, Hermann, 1971, p. 20

21. Jean-Pierre Faye, *Le récit hunique*, p. 15, 16

Photo de François Séguillon sur l'édition princeps

BIBLIOGRAPHIE [1]

I

OEUVRES DE HUBERT AQUIN

1. ROMANS

Prochain Episode, Montréal, Le Cercle du Livre de France, 1965, Paris, Laffont, 1966
Montréal, Editions du Renouveau pédagogique, 1969

Trou de Mémoire, Le Cercle du Livre de France, Montréal, 1968, 180 p.

L'Antiphonaire, Montréal, Le Cercle du Livre de France, 1969

Neige noire, Montréal, La Presse, 1974

Next Episode, dans *Maclean Magazine*, Vol. LXXIX, juin 1966, p. 16-17, 66.

Trou de Mémoire (extraits), dans *Liberté* 47-48, Vol. VIII, Nos 5-6, septembre-décembre 1966, p. 45-46

Prochain Episode (extraits), dans *Maintenant*, Nos 68-69, 15 septembre 1967, p. 266

Trou de Mémoire (extraits), dans *Québec '68*, Vol. V, No 14, Paris, octobrre 1968, p. 107-109

"Résistance contre la tristesse" (extraits de *Prochain Episode*), dans *Anthologie du roman canadien-français*, de Gérald Moreau, Montréal, Lidec, 1973, p. 211-213

2. OEUVRES DIVERSES

Point de fuite, Montréal, Le Cercle du Livre de France, 1971

Blocs Erratiques, Montréal, Les Quinze, 1977

3. NOUVELLES ET FICTIONS

"Les fiancés ennuyés", dans *Quartier latin*, 10 décembre 1948, p. 4

"Pélerinage à l'envers", dans *Quartier latin*, 15 février 1949, p. 3

"Les rédempteurs" (récit), dans *Ecrits du Canada français V*, 1959, p. 45-114

---

(1) Préparée par mademoiselle Edith Manseau, bibliothécaire à l'UQTR, en collaboration avec monsieur Gaëtan Dostie, directeur des Editions Parti pris.

"Le pont — Chapitre VIII" (Chapitre d'une nouvelle rédigée collectivement par les membres du comité de rédaction de *Liberté*), dans *Liberté*, Vol. VI, No 3, mai-juin, 1964, p. 214-215

"De retour, le 11 avril" (nouvelle), dans *Liberté*, Vol. XI, No 2, mars-avril, 1969, p. 519

"Table tournante", (1968), dans *Voix et images du pays II*, Montréal, Les Editions Sainte-Marie, 1969, p. 143-194

"24 heures de trop" (1969), dans *Voix et images du pays III*, Montréal, Les Editions Sainte-Marie, 1969, p. 143-194

"Le choix des armes", dans *Voix et Images du pays V*, P.U.Q., Montréal 1972, p. 189-237

4. TEXTES

A) Pour la radio (Radio-Canada)

La toile d'araignée, radio-théâtre diffusé le 29 juillet 1954 (45 min.)

Confession d'un héros, diffusé le 21 mai 1961 (30 min.)

Don Quichotte, le héros tragique, diffusé le 8 septembre 1966

De retour le 11 avril, diffusé le 11 août 1968

Les secrets des roses trémières, de Hugh Garner, traduit par Hubert Aquin, diffusé le 1er septembre 1968

Un problème de cabinet, de Austin C. Clarke, traduit par Hubert Aquin, diffusé le 8 septembre 1968

Célébration du vin, texte de Maurice Lelong, adapté par Hubert Aquin, diffusé le 11 septembre 1968

Seconde main, état neuf, de Hugh Hood, traduit par Hubert Aquin, diffusé le 15 septembre 1968

Borduas et le refus global, diffusé le 18 octobre 1968

Célébration de la pomme de terre, texte de Jean Follain, adapté par Hubert Aquin, diffusé le 12 décembre 1968

Nietzsche, ce texte, écrit pour la série "Philosophes et penseurs", ne fut jamais diffusé.

B) Pour la télévision (Radio-Canada)

Moïra, de Julien Green, adaptation de Hubert Aquin, présenté le 30 janvier 1955

Passé antérieur, présenté le 28 septembre 1955

Le choix des armes, ne fut pas présenté le 8 janvier 1959 à cause d'une grève des réalisateurs

L'échange, de Paul Claudel, adaptation de Hubert Aquin, présenté le 21 janvier 1960

Dernier acte, présenté le 29 mai 1960 sous un pseudonyme : François Lemal

On ne meurt qu'une fois, en collaboration avec Gilles Sainte-Marie, présenté en trois épisodes les 5, 12 et 19 juillet 1960

Yerma, de Garcia Lorca, adaptation de Hubert Aquin, présenté le 19 janvier 1961

Oraison funèbre, présenté le 3 novembre 1962

La pie-grèche, de Joseph Krama, traduit par Hubert Aquin, présenté le 28 février 1963

La Parisienne, de Henri Berque, adaptation de Hubert Aquin, présenté le 23 janvier 1966

Faux bond, présenté le 22 janvier 1967

Table tournante, présenté le 22 septembre 1968

24 heures de trop, présenté le 9 mars 1969 et le 15 mars 1970

Double sens, présenté le 30 janvier 1972

Une femme en bleu au fond d'un jardin de pluie, de George Riyga, traduit par Hubert Aquin, présenté le 13 janvier 1974

C)   Pour la scène

Ne ratez pas l'espion, comédie musicale, en collaboration avec Louis-Georges Carrier et Claude Léveillée. Jouée au théâtre de la Marjolaine, à compter du 1er juillet 1966.

5. PRODUCTIONS A L'OFFICE NATIONAL DU FILM (1)

Quatre enfants du monde, série Comparaison, 60 m., 16 mm, n-b, 1959

L'exil en banlieue, série Comparaison, 60 m., 16 mm, n-b, 1960

Les grandes religions, série Comparaison, 60 m., 16 mm, n-b-, 1961

Le sport et les hommes, 59 min., 16 mm, n-b-, 1961. Prix Cortina d'Ampezzo, Italie

La saison des amours, série Comparaison, 60 m., 16 mm, n-b-, 1962

A Saint-Henri, le 5 septembre, 42 m., 16 mm, n-b-, 1962

L'homme vite, 9 m., 33 mm. c. 1963

Jour après jour, 28 m., 16 mm, n-b-, 1963

La fin des étés, en collaboration avec Anne-Claire Poirier, 28 m., 16 mm, n-b-, 1964

A l'heure de la décolonisation, 28 m, 16 mm, n-b.

(1)   auxquelles Hubert Aquin a collaboré à titres divers.

6. ARTICLES, ESSAIS ET ENTREVUES

"Envers de décor", dans *Quartier latin*, 25 février 1949, p. 3

"Eloge de l'impatience", dans *Quartier latin*, Vol. XXXII, No 14, 18 novembre 1949, p. 3

"Dieu et moi", dans *Quartier latin*, 29 novembre 1949, p. 3

"Discours sur l'essentiel", dans *Quartier latin*, 9 décembre 1949, p. 3

"Le jouisseur et le saint", dans *Quartier latin*, 24 janvier 1950, p. 1

"Pensées inclassables", dans *Quartier latin*, 29 janvier 1950, p. 2

"Tout est miroir", dans *Quartier latin*, 21 février 1950, p. 7

"Le corbeau" dans *Quartier latin*, Vol. XXXII, No 33, 24 février 1950, p. 4 (Sur le film *Le corbeau*).

"L'équilibre professionnel", dans *Quartier latin*, 14 mars 1950, p. 1

"Sermon d'avant-garde", dans *Quartier latin*, Vol. XXXIII, no 3, 10 octobre 1950, p. 3 (Présentation du sermon de Mgr Léger).

"Son témoignage", dans *Quartier latin*, Vol. XXXIII, No 4, 13 octobre 1950, p. 1 (Sur le départ du père Llewellyn)

"Sur le même sujet (L'écrivain est-il responsable ?)", dans *Quartier latin*, Vol. XXXIII, No 6, 20 octobre 1950, p. 3

"Le dernier mot", dans *Quartier latin*, Vol. XXXIII, No 7, 24 octobre 1950, p. 2 (nouvelle)

"Mise au point avec le *Haut-parleur*", dans *Quartier latin*, Vol. XXXIII, No 8, 27 octobre 1950, p. 2

"L'Assomption 'Vérité implicitement révélée' ", dans *Quartier latin*, Vol. XXXIII, No 11, 7 novembre 1950, p. 2

"Précision sur une note du *Devoir*, dans *Quartier latin*, vol. XXXIII, No 12, 10 novembre 1950, p. 1

"Massacre des cinq innocents", dans *Quartier latin*, Vol. XXXIII, No 14, 17 novembre 1950, p. 3

"Mais tout de même...", dans *Quartier latin*, Vol. XXXIII, No 16, 24 novembre 1950, p. 3 (Réponse à une lettre d'Albert Legrand).

"La science ou l'amour ?", dans *Quartier latin*, Vol. XXXIII, No 21, 12 décembre 1950, p. 3

"Europe 1950" et "Une recherche de la fraternité", dans *Quartier latin*, Vol. XXXIII, No 23, 19 décembre 1950, p. 1-3. (Sur le Séminar international de Pontigny).

"Le Quartier latin, premier coureur", dans *Quartier latin*, vol. XXXIII, No 24, 19 janvier 1951, p. 1

"Drôle de bilinguisme !", dans *Quartier latin*, Vol. XXXIII, No 25, 23 janvier 1951, p. 1 (Présentation d'un article de *Varsity*).

"J'ai la mer à boire", dans *Quartier latin*, Vol. XXXIII, No 26, 26 janvier 1951, p. 1 (Sur l'engagement américain en Corée).

"Procès de François Hertel", dans *Quartier latin*, Vol. XXXIII, No 26, 26 janvier 1951, p. 3 (Introduction à l'article de Jacques Languirand).

"Enfin l'aide défédérale", dans *Quartier latin*, Vol. XXXIII, No 30, 9 février 1951, p. 1

"Rendez-vous à Paris", dans *Quartier latin*, Vol. XXXIII, No 32, 16 février 1951, p. 4

"Recherche d'authenticité", dans *Quartier latin*, Vol. XXXIII, No 36, 2 mars 1951, p. 1

"Nos feuilles de chou", dans *Quartier latin*, Vol. XXXIII, No 38, 9 mars 1951, p. 1 (Sur *le Devoir* et *la Presse*).

"Complexe d'agressivité", dans *Quartier latin*, Vol. XXXIII, No 39, 12 mars 1951, p. 1

"Les miracles se font lentement", dans *Quartier latin*, Vol. XXXIII, No 40, 16 mars 1951, p. 1

"*Mon fils pourtant heureux*, de Jean Simard", dans *Journal vrai*, 15 décembre 1956, p. 11

"*Le déménagement* de Jean Cayrol", dans *Journal vrai*, 2 février 1957, p. 10

"Qui mange du curé en meurt", dans *Liberté*, Vol. III, Nos 3-4, mai-août 1961, p. 618-622

"Comprendre dangereusement", dans *Liberté*, Vol. III, No 5, novembre 1961, p. 679-680

"Le bonheur d'expression", dans *Liberté*, Vol. III, No 6, décembre 1961, p. 741-743

"Préambule", dans *Liberté*, Vol. IV, No 21, mars 1962, p. 66

"Problèmes politiques du séparatisme", extraits d'un discours prononcé en mars 1962 au Colloque de l'Hôtel Windsor. (Archives du R.I.N., Bibliothèque nationale).

"L'existence politique", dans *Liberté*, Vol. IV, No 21, mars 1962, p. 67-76

"Pour un prix du roman", dans *Liberté*, Vol. IV, No 22, avril 1962, p. 194, 196

"Les Jésuites crient au secours", dans *Liberté*, Vol. IV, No 22, avril 1962, p. 274-275

"La fatigue culturelle du Canada français", dans *Liberté*, Vol. IV, No 23, mai 1962, p. 299-325. (Réponse à un article de P.E. Trudeau : "La nouvelle trahison des clercs", dans *Cité libre*, No 46, avril 1962).

Entrevue avec Albert Memmi ("Décolonisation — Albert Memmi — Paris 1963"), texte inédit de l'Office national du film.

"Essai crucimorphe", dans *Liberté*, Vol. V, No 4, juillet-août 1963, p. 323-325

"Les jeunes gens en colère", et "Nous voulons nous séparer", dans *La Gazette littéraire*, Vol. CLXVI, No 204, Lausanne, 31 août - 1er septembre 1963, p. 15

"Critique d'un livre écrit par un ami", dans *Liberté*, Vol. VI, No 1, janvier-février 1964, p. 73-74 (Sur *La Révolution au Canada*, de

Jean Cathelin et Gabrielle Gray).

"Profession : écrivain", dans *Parti pris*, Vol. I, No 4, janvier 1964, p. 23-31. Reproduit dans *Point de fuite*, Montréal, Le Cercle du Livre de France, 1971, p. 47-49

"Le corps mystique", dans *Parti pris*, Vol. I, No 5, février 1964, p. 30-36. Reproduit dans *le Jour*, Vol. I, No 8, 25-31 mars 1977, p. 39-40.

"Le basic bilingue", dans *Liberté*, Vol. VI, No 2, mars-avril 1964, p. 114-118

"Commentaires, I", dans *Recherches sociographiques*, Vol. V, Nos 1-2, janvier-août 1964, p. 191-193. Reproduit dans *Littérature et société canadiennes-françaises*, Québec, Presses d l'Université Laval, 1964, p. 191-193

"L'art de la défaite", dans *Liberté*, Vol. VII, Nos 1-2, janvier-avril 1965, p. 33-41. (Sur l'insurrection de 1837-1838).

"Calcul différentiel de la contre-révolution", dans *Liberté*, Vol. VII, No 3, mai 1965, p. 272-275

"L'originalité", dans *le Cahier* (supplément du *Quartier latin*), Vol. XI, No 14, 3 février 1966, p. 3. Repris dans *Québec français*, décembre 1976, p. 24-25, sous le titre "Compendium"

"Préface à un texte scientifique", dans *Liberté*, Vol. VIII, No 1, janvier-février 1966, p. 3-4

"Eloge de la minijupe", dans *Liberté*, Vol. VIII, No 2, mars-avril 1966, p. 184

"Aquin écrit à *la Gazette de Lausanne*", dans *la Presse*, Vol. LXXXII, No 300, 27 décembre 1966, p. 53

"Théâtre supérieur", dans les *Lettres nouvelles*, Paris, 1er décembre 1966-janvier 1967, p. 8, 177, 188

"Une rencontre dans la nuit", dans *Un siècle de littérature canadienne*, Editions H.M.H., Montréal, 1967, p. 458-462

"La francité, nos cousins de France", dans *Liberté*, Vol. IX, No 1, janvier-février 1967, p. 76-78

"Un canadien errant", dans *le Magazine Maclean*, Vol. 7, No 4, avril 1967, p. 2, 52, 54-56, 58

"In Switzerland, one separatist too many", adapted by Penny Williams, dans *Maclean Magazine*, Vol. LXXX, May 1967, p. 48 b-c, f (traduction de *Un Canadien errant*)

"Hubert Aquin raconte comment il a été expulsé de Nyon", dans *le Jura libre* (journal suisse), Vol. XIX, No 868, 31 mai 1967, p. 1, 5

"Introduction", dans *Liberté*, Vol. IX, No 4, juillet-août 1967, p. 67-69. (Traduction française faite par Hubert Aquin d'un article écrit en anglais par Derek Parker, et traitant de la jeune poésie de la Grande-Bretagne.)

"Un âge ingrat", dans *Liberté*, Vol. IX, No 6, novembre-décembre 1967, p. 66-68

"Introduction et commentaires", dans *Histoire de l'insurrection au Canada*, de Louis-Joseph Papineau, Editions Leméac, Montréal,

1968, p. 9-38

"Notes de lecture", dans *Liberté*, Vol. X, No 1, janvier-février 1968, p. 72-73. (Sur Marcel Proust et la critique littéraire de René de Chantal).

"A writer's view of the situation in Québec", (inédit), texte d'une conférence donnée à Buffalo le 23 mars 1968

"L'affaire des deux langues", dans *Liberté*, Vol. X, No 2, mars-avril 1968, p. 5-7

"Notes de lecture", dans *Liberté*, Vol. X, No 2, mars-avril 1968, p. 68-69 (sur *les Soleils des indépendances* d'Ahmadou Kourouma)

"Quelle part doit-on réserver à la littérature québécoise dans l'enseignement de la littérature ?", dans *Liberté*, Vol. X, No 3, mai-juin 1968, p. 73-75

"Un ancien officier du R.I.N. regrette sa disparition", dans *la Presse*, 84e année, No 258, 5 novembre 1968, p. 4

"La littérature québécoise, Michel Brunet", dans *Liberté*, No 59-60, septembre-décembre 1968, p. 84

"Littérature et aliénation", dans *Mosaic*, Vol. II, No 1, Winnipeg, automne 1968, p. 45-52

"Dictionnaire politique et culturel du Québec", (fascisme p. 23, nationalisme p. 43, néo-canadiens p. 44, peuple p. 46, R.I.N. p. 53, dans *Liberté*, No 61, janvier-février 1969

"Refus d'Aquin et dédicace de Ferron", dans *la Presse*, Vol. LXXXV, no 103, 3 mai 1969, p. 32 (Lettre de refus du prix du Gouverneur général)

"La mort de l'écrivain maudit", communication et interventions d'Hubert Aquin à une discussion sur le sus-dit thème, à la 7e Rencontre des Ecrivains, qui eut lieu à Sainte-Adèle du 29 mai au 1er juin, 1969 reproduites dans *Liberté*, Vol. XI, Nos 3 et 4, mai-juin-juillet, 1969, p. 26-31, 34, 35, 36, 38, 42, 43

"Notes de lecture", dans *Liberté*, No 65, août-septembre 1969, p. 65 (sur *le Pouvoir du parlement* d'André Lajoie)

"Un fantôme littéraire", dans *le Devoir*, 11 octobre 1969, p. 13 (sur Réjean Ducharme)

"Considérations sur la forme romanesque d'*Ulysse*, de James Joyce", dans *l'Oeuvre littéraire et ses significations*, P. Pagé et R. Legris, édit., Montréal, Les Presses de l'Université du Québec, 1970, p. 53-66

"Aquin : 'Une joie profonde' ", dans *la Presse*, 7 février 1970, p. 30 (Réponse au questionnaire de R. Martel, "Pourquoi écrivez-vous ici et maintenant ?)"

"Les séquelles de la IXe rencontre des écrivains, Pourquoi j'ai démissionné de la revue *Liberté*", dans *le Devoir*, 3 juin 1971, p. 12

"L'écrivain et les pouvoirs", dans *Liberté*, Vol. XIII, No 2, mai-juin-juillet 1971, p. 89-93 (texte du discours où Aquin a annoncé sa démission de *Liberté*)

"Phénoménologie du sport, problème d'analyse symbolique", *Coll. Recherche en symbolique*, No 3, Presses de l'Université du Québec,

132

dans *Protée*, Université du Québec à Chicoutimi, Vol. IV, No 2, automne 1975, p. 93-97

Rank, Otto
Don Juan et le double, étude psychanalytique, Paris, Payot, s.d.

Reid, Malcolm
The shouting signpainters, Toronto, McClelland and Stewart, 1972

Rousset, Jean
La littérature de l'âge baroque en France, Paris, Corti, 1953

Sartre, Jean-Paul
L'être et le néant, Paris, Gallimard, 1943
Critique de la raison dialectique, Paris, Gallimard, 1960

Van Schendel, Michel
"L'amour dans la littérature canadienne-française", dans *Littérature et société canadiennes-françaises*, deuxième colloque de la revue *Recherches sociographiques*, Québec, Les Presses de l'Université Laval, 1964, p. 153-165

Williams, Raymond
The long revolution, Londres, Chatto & Windus, 1961

Winner, Thomas
"Les grands thèmes de la poétique jakobsonienne", dans *L'Arc*, Aix-en-Provence, no 60, 1er trimestre 1975, p. 55-63

2. VOLUMES

De Lafontaine, Gilles
Aquin et le Québec, la texture québécoise du roman aquinien, Montréal, Parti pris, 1978

Smart, Patricia
Hubert Aquin, agent double, Montréal, Les Presses de l'Université de Montréal, coll. "Lignes québécoises", 1973, 144 p.

3. ARTICLES

Allard, Jacques
"*Prochain Episode*", dans *Parti pris*, vol. III, No 5, décembre 1965, p. 60-63

Amprimoz, Alexandre
"Le logocentrisme de *Prochain Episode* : l'essentiel, l'irréductible d'une théorie scripturale", dans *Présence francophone*, No 10, printemps 1975, p. 91-101

Anonyme
"La toile d'araignée", dans *la Semaine à Radio-Canada*, Vol. IV, No 42, 25-31 juillet 1954, p. 3
"La radio peut être un tremplin pour la production littéraire", dans *la Semaine à Radio-Canada*, vol. V, No 8, 28 novembre — 4 décembre 1954, p. 2 (Entrevue avec Aquin)
"*Moïra* de Julien Green à l'affiche du télé-théâtre, dans *la Semaine à Radio-Canada*, Vol. V, No 17, 30 janvier — 5 février 1955, p. 8

(Adaptation de H. Aquin)

"*Passé antérieur*", dans *la Semaine à Radio-Canada*, Vol. V, no 51 25 septembre - 1er octobre 1955, p. 8

"Oeuvre inédite d'un auteur canadien au télé-théâtre, *Le choix des armes*, de Hubert Aquin", dans *la Semaine à Radio-Canada*, Vol. IX, 3—9 janvier 1959, p. 10

"Trio, début d'une nouvelle série de textes dramatiques présentée en trois épisodes", dans *la Semaine à Radio-Canada*, Vol. X, No 4, 2—8 juillet 1960, p. 4 (Sur *On ne meurt qu'une fois*)

"Rencontre à Paris", dans *la Presse*, 30 février 1961, p. 8

"Confession d'un héros", dans *la Semaine à Radio-Canada*, Vol. XI, No 34, 20—26 mai 1961, p. 3

"Dans la jungle des bureaux", dans *la Semaine à Radio-Canada*, Vol. XIII, No 6, 3—9 novembre 1962, p. 2 (Sur *Oraison funèbre*)

"Hubert Aquin : la révolution est un acte d'amour et de création", dans *le Devoir*, Vol. LIV, No 52, 4 mars 1963, p. 5

"Il faut cesser de considérer René Lévesque comme séparatiste", dans *la Presse*, 6 avril 1964, p. 21 (Entrevue avec Aquin)

"Les deux romans de Hubert Aquin", dans *la Presse* (supplément), Vol. LXXXI, No 157, 10 juillet 1965, p. 3

"Echos", dans *le Petit Journal*, Vol. XXXIX, No 46, 12 septembre 1965, p. 36

"Rétrospective", dans *le Cahier* (supplément du *Quartier latin*), Vol. XI, No 11, 13 janvier 1966, p. 2

"Une autre comédie musicale au Théâtre de Marjolaine", dans le cahier *Arts et lettres*, *la Presse*, Vol. LXXXII, No 48, 26 février 1966, p. 2

Aquin étidé à Paris et Martin rééditée à Montréal", dans le cahier *Arts et lettres*, *la Presse*, Vol. LXXXII, No 48, 26 février 1966, p. 2

"L'écrivain Hubert Aquin est acquitté de deux accusations", dans *la Presse*, vol. LXXXII, No 54, 5 mars 1966, p. 7

"Notre littérature" (L'illettré), dans *le Droit*, Vol. LIV, No 47, 21 mai 1966, p. 16

"Le 25 juin, chez Marjolaine — "Ne ratez pas l'espion)" (Carrier-Aquin-Léveillée)", dans *la Presse*, 30 mai 1966, p. 10

"Hubert Aquin n'y était pas !" dans *Photo-Journal*, Vol. XXX, No 9, 15 juin 1966, p. 27

"De l'espionnage à Eastman...", dans *Métro-Express*, Vol. II, No 297, 15 juillet 1966, p. 15

"La rentrée des lettres canadiennes", dans *la Patrie*, Vol. LXXXVII, No 32, 14 août 1966, p. 45

"L'offensive des romanciers canadiens", dans *la Rotonde*, Vol. XXXV, No 4, 11 octobre 1966, p. 4

"Aquin et Basile lus par Alain Bosquet", dans *la Presse* , Vol. LXXXII, No 240, 17 octobre 1966, p. 53

"A Paris, on continue de 'découvrir' les oeuvres d'auteurs québécois", dans *le Soleil*, Vol. LXIX, NO 248, 19 octobre 1966, p. 61

"Montréal, c'est...", dans *le Magazine Maclean*, Vol. VI, No 12, décembre 1966, p. 21

"Prochain Episode", dans *l'Action*, Vol. LIX, No 17828, 2 décembre 1966, p. 14

"Super-patriot" (*Prochain Episode*), dans *Maclean Magazine*, Vol. LXXIX, December 3, 1966, p. 19

décembre 1971, p. 115-144

"Constat de quarantine", dans *Point de Mire* (Montréal), vol. III, No 14, mai 1974, p. 34-35

"De Vico à James Joyce, assassin d'Ulysse", dans *le Devoir*, 10 novembre 1973, p. 22

"Présentation", dans *Notes d'un condamné politique de 1838*, de F.X. Prieur, et dans *Journal d'un exilé politique aux terres australes*, de L. Ducharme, Editions du Jour, Montréal, 1974, 245 p.

"Présentation", dans *la Rébellion de 1837 à Saint-Eustache*, de Maximilien Globensky, Editions du Jour, Montréal, 1976, p. 7-9

"Le joual-refuge", dans *Maintenant*, No 124, mars 1974, p. 18-21, et dans *Radar*, Vol. II, (1973-1974)

"La disparition élocutoire du poète (Mallarmé)", dans *Cul-Q*, été-automne 1976, Nos 4-5, p. 609

"Pourquoi je suis désenchanté du monde merveilleux de Roger Lemelin", dans *le Devoir*, 7 août 1976, p. 5

"Dans le ventre de la ville", dans *le Devoir*, 24 août 1974, p. 10

"Hubert Aquin et le jeu de l'écriture", entrevue d'Anne Gagnon, dans *Voix et images*, Vol. I, No 1, septembre 1975, Presses de l'Université du Québec, p. 5-18

"Lettre à Victor Lévy-Beaulieu" (sic), dans *la Presse*, 30 septembre 1975, p. A-5

"Le texte ou le silence marginal ?", dans *Mainmise*, No 64, novembre 1976, p. 18-19

"Compendium", et "Après le 15 novembre 1976", dans *Québec français*, décembre 1976, p. 24-25

"Réflexion à quatre voix sur l'émergence d'un pouvoir québécois", dans revue *Change*, (collectif), Seghers/Laffont, mars 1977. Ecrit en collaboration avec Michèle Lalonde, Gaston Miron et Pierre Vadeboncoeur, p. 5-10

"Le Québec : une culture française originale", dans *Forces*, No 38, 1er trimestre 1977, p. 38-39

II

SUR L'OEUVRE DE HUBERT AQUIN

1. OUVRAGES GENERAUX

Baltrusaitis, Jurgis
Anamorphoses ou perspectives curieuses, Paris, Olivier Perrin, 1955 ; nouvelle édition élargie : *Anamorphoses ou magie artificielle des effets merveilleux*, Paris, Olivier Perrin, 1969

Bataille, George
Théorie de la religion, Paris, Gallimard, 1973

L'érotisme, Paris, Union Générale d'Editions, 10-18, 1972

Berque, Jacques
Dépossession du monde, Paris, Seuil, 1964

Bouthillette, Jean
Le Canadien français et son double, Montréal, L'Hexagone, 1972

Brunet, Michel
"Trois dominantes de la pensée canadienne-française : l'agriculturisme, l'anti-étatisme et le messianisme", dans *Ecrits du Canada français III*, Montréal, 1957, p. 33-117 ; repris dans *la Présence anglaise et les Canadiens*, Montréal, Beauchemin, 1964, p. 113-166

Chamberland, Paul
"Fondation du territoire", dans *Parti pris*, Vol. IV, Nos 9-10-11-12, mai-août 1967, p. 13-42

Eco, Umberto
L'oeuvre ouverte, Paris, Seuil, 1962

Eliot, T.S.
Selected Essays, New York, Harcourt Brace, 1950

Fanon, Frantz
Les damnés de la terre, Paris, F. Maspero, 1961

Faye, Jean-Pierre
Le récit hunique, Paris, Seuil, 1967
Théorie du récit, Paris, Harmann, 1972

Freud, Sigmund
"Création littéraire et rêve éveillé", dans *Essais de psychanalyse appliquée*, Paris, Gallimard, Coll. Idées, 1971

Heisenberg, Werner
La nature dans la physique contemporaine, Paris, Gallimar . "Idées", 1961

Jakobson, Roman
Essais de linguistique générale, Paris, Minuit, 1963

Leclaire, Serge
"A propos de la jouissance, remarques sur le point de vue psychanalytique", dans *Séminaires*, Paris, Centre universitaire de Vincennes, 1969

Lukacs, Georges
La signification présente du réalisme critique, Paris, Gallimard, 1960
La théorie du roman, Paris, Gonthier, 1963

Maillard, Jean-François
Essai sur l'esprit du héros baroque, Paris, Nizet, 1973

Marcotte, Gilles
Une littérature qui se fait, Montréal, H.M.H., 1968

Memmi, Albert
Portrait du colonisé, Paris, Jean-Jacques Pauvert, 1966

Ors, Eugenio d'
Du baroque, Paris, Gallimard, 1968

Poirel, Christian
"Sur la dissolution fonctionnelle des horloges psychologiques",

"A Paris, débat sur la littérature québécoise", dans *la Presse*, Vol. LXXXII, No 189, 13 décembre 1966, p. 50

"La Suisse refuse un permis de séjour à l'écrivain Aquin", dans *la Presse*, Vol. LXXXII, No 194, 19 décembre 1966, p. 7

"Aquin a quitté la Suisse", dans *l'Action*, Vol. LIX, No 17,843, 21 décembre 1966, p. 11

"Hubert Aquin a quitté la Suisse", dans *le Devoir*, Vol. LVII, No 296, 21 décembre 1966, p. 6

"Hubert Aquin aurait quitté Nyon, en Suisse, sans laisser d'adresse", dans *le Soleil*, Vol. LXIX, No 302, 21 décembre 1966, p. 15

"Hubert Aquin a quitté la Suisse pour la France", dans *le Soleil*, Vol. LXIX, No 304, 23 décembre 1966, p. 19

"Hubert Aquin compte s'établir à Paris", dans *le Soleil*, Vol. LXIX, No 305, 24 décembre 1966, p. 33

"Aquin écrit à la "Gazette de Lausanne" ", la *Presse*, Vol. LXXXII, No 300, 27 décembre 1966, p. 53

"Hubert Aquin se sent "décolonisé une seconde fois", dans *le Devoir*, vol. LVII, No 301, 28 décembre 1966, p. 2

"Faux bond, film d'espionnage", dans *Ici, Radio-Canada*, Vol. I, No 43, 21 janvier 1967, p. 1

"*Le Faux bond* de Hubert Aquin", dans *le Journal de Montréal*, Vol. III, No 185, 26 janvier 1967, p. 17

"Le ministère des Affaires culturelles distribue $155,000 à 58 boursiers", dans *la Presse*, Vol. LXXXIII, No 69, 23 mars 1967, p. 26

"Le feu d'artifice du roman canadien en France paraît s'être éteint pour le moment", dans *la Presse*, Vol. LXXXIII, No 75, 1er avril 1967, p. 42

"Hubert Aquin raconte comment il a été expulsé de Nyon", dans *le Jura libre*, Vol. XIX, No 868, 31 mai 1967, p. 1 et 5, (journal suisse)

"It may be lost in translation", dans *Vancouver Sun*, June 27, 1967

"Berne : Hubert Aquin, vous êtes les bienvenu ! Après avoir chassé le romancier canadien, les autorités fédérales reconnaissent avoir été trop vite", dans *Feuille d'Avis*, Lausanne, No 151, 1—2 juillet 1967, p. 1

" "Hubert Aquin, vous êtes le bienvenu", titre un journal de Suisse", dans *la Presse*, 6 juillet 1967, p. 24

"Quebec novels can't be saved by translator", dans *Victoria Times*, July 8, 1967

Prochain Episode, dans *Canadien Literature*, No 33, Summer 1967, p. 94

"Signé Hubert Aquin", dans *Ici Radio-Canada*, Vol. II, No 33, 10 août 1968, p. 16 (Sur *De retour le 11 avril*).

"*Prochain Episode*, dans *Willondale Lansing*, August 23, 1967

"Un âge ingrat", dans *Liberté*, Vol. IX, No 6, novembre-décembre 1967, p. 66-68

"Hubert Aquin, *Trou de Mémoire*", dans *le Mercure*, Vol. IX, No 9, 15 avril 1968, p.3, col. 3-5

"Littérature et aliénation", dans *Aliénation*, Vol. II, No 1, automne 1968, p. 45-52

"Quinze soirées théâtrales et autant de productions musicales" dans *la Tribune*, 59e année, No 163, 5 septembre 1968, p. 14, col. 3-8

"Le réel et l'imaginaire d'Hubert Aquin", dans *le Carabin*, Vol. XXIX, No 4, 19 septembre 1968, p. 9, col. 1-3

"*Table tournante* : un monde imaginaire... et farfelu", dans *la Tribune*, 59e année, No 177, 21 septembre 1968, p. 9, col. 7-8

"*Trou de Mémoire*", dans *Québec 68*, 5e année, No 14, octobre 1968, p. 107-109

"Un ancien officier du R.I.N. regrette sa disparition", dans *la Presse*, 84e année, No 258, 5 novembre 1968, p. 4, col. 5-8

"La littérature québécoise", dans *Liberté*, Vol. X, Nos 5 et 6, septembre-décembre 1968, p. 84

"*Prochain Episode*, translated by Penny Williams, dans *Tamarack Review*, Toronto, No 46, Winter 1968, p. 109-110

"*24 heures de trop*, ou le drame d'un homme qui a perdu tout souvenir des événements de la veille"dans *la Tribune*, 60e année, No 16, 8 mars 1969, p. 11, col. 1-8

"Marie-Claire Blais, Hubert Aquin et Fernand Dumont, : lauréats des prix littéraires du gouverneur général", dans *la Tribune*, 60e année, No 53, 22 avril 1969, p. 7, col. 1-2

"Lauréats québécois : Dumont, Marie-Claire Blais et Aquin", dans *le Devoir*, Vol. LX, No 93, 22 avril 1969, p. 10, col. 3-8

"Hubert Aquin refuse le Prix", dans *le Devoir*, Vol. LX, No 93, 22 avril 1969, p. 10, col. 3-5

"Aquin, Blais et Dumont reçoivent le prix du gouverneur général", dans *le Droit*, 57e année, No 22, 22 avril 1969, p. 12, col. 6-8

"Hubert Aquin refuse le prix du gouverneur général", dans *le Montréal-Matin*, Vol. XXXIX, No 243, 22 avril 1969, p. 8, col. 1-3

"Hubert Aquin, Marie-Claire Blais et Fernand Dumont Lauréats des prix du Gouverneur général", dans *la Presse*, 85e année, No 93, 22 avril 1969, p. 33, col. 1-3

"Former Separatist among literary award winners", dans *The Quebec-Chronicle Telegraph*, 205e année, No 254, 22 avril 1969, p. 6, col. 1-3

"Six écrivains canadiens seront honorés à Ottawa", dans *la Voix de l'Est*, 33e année, No 201, 22 avril 1969, p. 2., col. 4-7

"M. Hubert Aquin refuse son prix", dans *la Voix de l'Est*, 33e année, No 201, 22 avril 1969, p. 2, col. 8

"Les lauréats des prix littéraires du gouverneur général", dans *le Nouvelliste*, 49e année, No 147, 24 avril 1969, p. 15, col. 5-8

"Si on avait plus d'hommes comme Hubert Aquin)), dans *le Nouveau Samedi*, Vol. LXXX, No 48, 26 avril 1969, p. 15, col. 1-3

"Mm. Léonard Cohen et Hubert Aquin refusent leur prix du Conseil des Arts", dans *le Droit*, 57e année, No 41, 14 mai 1969, p. 1, col. 1-4

"A l'instar d'Aquin, L. Cohen refuse le prix du gouverneur", dans *le Devoir*, Vol. LX, No 114, 16 mai 1969, p. 10, col. 5-6

"Prix du gouverneur ; 4 lauréats sur 6", dans *la Presse*, 85e année, No 114, 16 mai 1969, p. 9, col. 4-5

"La démission d'Aquin, les symptômes d'une épidémie ?", dans *le Devoir*, 2 juin 1971, p. 6

"Chez Leméac, *Histoire de l'insurrection au Canada* par Louis-Joseph Papineau, Introduction et commentaires de Hubert Aquin", dans *le Droit*, Vol. LVII, No 61, 7 juin 1969, p. 7

"Le prix d'Hubert Aquin aurait-il été saisi ?" dans *la Presse*, 85e année, No 124, 11 juin 1969, p. 79, col 1-2

"Il était vice-président régional du R.I.N., Hubert Aquin prend le maquis", dans *Montréal-Matin*, 19 juin 1969, p. 3

"Les nouveautés littéraires" dans *Progrès-Dimanche*, No 43, 21 décembre 1969, p. 45

"*24 heures de trop*, ou le drame d'un homme qui a perdu tout souvenir des événements de la veille", dans *Ici Radio-Canada*, Vol. III, 8-14 mars 1970, p. 4

"Les concours littéraires du Québec 1970 : prix du roman à Aquin pour *L'Antiphonaire*", dans la Presse, 19 novembre 1970, p. C 7

"*L'Antiphonaire*", dans *Service de presse, Le Livre Canadien*, Office des Communications sociales, Montréal, Vol. I, 1970, p. 42

"Reprise de *24 heures de trop* d'Hubert Aquin suivi d'un film décrivant une aventure extravagante", dans *Ici Radio-Canada*, Vol. IV, No 12, 14-20 mars 1971, p. 5

"*Le choix des armes*" (1959) dans *Voix et images du pays V* Montréal, Les Presses de l'Université du Québec, 1971, p. 189-237

"*Double sens* : un texte de Hubert Aquin", dans *Ici Radio-Canada*, Vol. VI, No 5, 29 janvier-4 février 1972, p. 5

"*Point de fuite*", dans *Service de presse. Le Livre Canadien*, Office des Communications sociales, Montréal, Vol. II, 1973, p. 73

"*Antiphonary*, translated by Alan Brown", dans *Saturday Night*, Vol. LXXXVIII, Septembre 1973, p. 41

"Le prix littéraire de Montréal à Hubert Aquin", dans *la Presse*, 17 mai 1975, P. A-1, H-1

"Roger Lemelin répond à Aquin. Des propos navrants et hautement farfelus", dans *le Devoir*, 6 août 1976, p. 1, col. 1

Audet,Jules

"Notre parole en liberté", dans *Incidences*, No 10, août 1966, p. 7-10

Aury, Dominique

"Vive le Canada", dans *la Nouvelle Revue Française*, Vol. XIV, No 168, 1er décembre 1966, p. 1066-1070

Barbeau, Raymond

"Notre premier prix Nobel", dans *le Nouveau cahier du Quartier latin*, Vol. XI, NO 13, 27 janvier 1966, p. 3-4

Barberis, Robert

"Débat littéraire entre G. Marcotte et H. Aquin", dans *le Cahier* (supplément du *Quartier latin*), Vol. XI, No 22, 31 mars 1966, p. 6

"Ces ailes blanches de l'âme", dans *le Jour*, 24 mai 1975, p. 12

Basile, Jean

"Héritage et théâtre", dans *le Devoir*, Vol. LVII, No 75, 31 mars 1966, p. 13

"Entrevue — Hubert Aquin publie des 'oeuvres mêlées' ", *le Devoir*, 23 janvier 1971, p. 11

Bates, Ronald

"Open Symbolism Cold Negativism", dans *The Globe and Mail*, 30 avril 1966, p. 17

Beaudet, Gilles

"L'auteur et son oeuvre" (présentation et annotation), dans *Prochain Episode*, Editions du Renouveau pédagogique, coll. "Lecture

Québec", Montréal, 1969

Beaudry-Gourd, Anne
"Après deux siècles d'agonie... ? l'histoire d'un révolutionnaire", dans *la Frontière*, Vol. XXIX, No 43, 26 avril 1967, p. 26

Beaulieu, Ivanhoé
"Temps d'arrêt ; temps mort", dans *le Soleil*, 13 février 1971, p. 46

Beaulieu, Victor-Lévy
"*L'Antiphonaire*", dans *l'Illettré*, Vol. I, No 2, février 1970, p. 10
"Sur un récit oublié d'Aquin, '*Les Rédempteurs*' ", dans *l'Illettré*, No 4, 1970, p. 13
"Avertissement aux illettrés. Faut-il aller à Jonquière pour rencontrer Hubert Aquin ? Introduction à Hubert Aquin, essayiste", dans *l'Illettré*, No 4, 1970, p. 11-13
"Une excellente introduction à l'oeuvre et Hubert Aquin", dans *le Devoir*, 27 septembre 1975, p. 5
"Lettre ouverte à Hubert Aquin", dans *la Presse*, 13 octobre 1975, p. A-5

Beauregard, Hermine
"Cent écrivains en quête de lecteurs", dans *le Petit Journal*, Vol. XL, No 16, M-6 et M-7

Beausang, Michael
"Music and medicine", (*L'Antiphonaire*), dans *Canadian Literature*, No 58, Automn 1973, p. 71-76

Bechar, Marguerite
"Les Canadiens anglais nous connaissent-ils ?", dans *le Devoir*, 29 février 1964, p. 11

Bégin, Emile
"Le *Prochain Episode* d'Hubert Aquin", dans *la Revue de l'Université Laval*, Vol. XX, No 5, janvier 1966, p. 492-494
"*Prochain Episode*", dans *l'Action*, Vol. LIX, No 17,570, 18 janvier 1966, p. 20

Bélanger, Jean
"*Faux bond*", dans *Jeune-Québec*, Vol. I, No 3, 31 janvier 1967, p. 18
"Valeur des techniques littéraires employées par Hubert Aquin dans *l'Antiphonaire*", dans *Etudes françaises*, Vol. VI, No 2, mai 1970, p. 214-219

Belleau, André
"La rencontre des écrivains depuis 1957 ; une expérience d'animation culturelle", dans *Liberté*, Vol. XVI, Nos 5-6, septembre-décembre 1974, p. 81-96

Berger, Yves
"La grande misère de l'écrivain québécois", dans *le Devoir*, vol. LVII, No 250, 27 octobre 1966, p. 9

Bergeron, Léandre
"*Prochain Episode* et la révolution", dans *Voix et images du pays VI* Montréal, Les Presses de l'Université du Québec, 1973, p. 123-139

Bernard, Michel
"*Prochain Episode* ou l'autocritique d'une impuissance", dans

Parti pris, Vol. IV, Nos 3-4, novembre-décembre 1966, p. 78-87

Bernier, Thérèse
"Le Canada français a tenu la vedette dans le monde des arts", dans *le Soleil*, Vol. LXIX, No 5, 3 janvier 1966, p. 9
"Activités culturelles au Canada en 1965", dans *l'Evangéline*, Vol. LXXIX, No 8398-12, 15 janvier 1966, p. 4

Berthiaume, André
"Le Roman", dans *Etudes françaises*, Vol. VI, No 4, novembre 1970, p. 497-503. Repris (revu et corrigé par l'auteur) dans *les Critiques de notre temps et le Nouveau Roman*, Paris, Editions Garnier Frères, col. "Les critiques de notre temps", No 11, 1972, p. 157-161, sous le titre : "Un anti-antiphonaire".
"Le thème de l'hésitation dans *Prochain Episode*, dans *Liberté*, Vol. XV, No 1, janvier-février 1973, p. 135-148

Berthiaume, René
"Une comédie musicale qui semble assurée déjà d'un grand succès", dans *la Tribune*, Vol. LVII, No 94, 15 juin 1966, p. 18
"*Ne ratez pas l'espion* : un bon divertissement, mais rien de plus", dans *la Tribune*, Vol. LVII, No 108, 5 juillet 1966, p. 9

Bertrand, André
"*Prochain Episode*, de Hubert Aquin", dans *le Cahier* du *Quartier latin*, Vol. XLVIII, No 19, 2 décembre 1965, p. 14
"Une littérature en acte", dans *le Cahier* du *Quartier latin*, Vol. II, No 13, 27 janvier 1966, p. 1
"*Prochain Episode* est-il un chef-d'oeuvre ?", dans *le Cahier* du *Quartier latin*, Vol. II, No 13, 27 janvier 1966, p. 3

Bessette, Gérard
"Philosophie et technique romanesque", dans *le Devoir*, Vol. LVII, No 100, 30 avril 1966, p. 11
"Hubert Aquin", dans *Histoire de la littérature canadienne-française*, Montréal, Centre Educatif et Culturel, 1968, p. 639-642

Bessette, Michel
"*Prochain Episode*", dans *la Griffe*, Vol. II, No 6, 18 novembre 1968, p. 2, col. 1-3

Bigras, Mireille et Préfontaine, Yves
"*Prochain Episode*, le premier roman d'Hubert Aquin", dans *Liberté* Vol. VII, No 6, novembre-décembre 1965, p. 557-563

Biron, Hervé
"*L'Antiphonaire*", dans *Culture*, Vol. XXXI, No 3, septembre 1970, p. 265-266

Bishop, Dorothy
"A novel of the week", dans *Ottawa Journal*, 29 avril 1967

Boivin, Aurélien
"Biographie", dans *Québec français*, décembre 1976, p. 28

Bonenfant, Joseph
"L'essai entre Montaigne et l'événement", dans *Etudes françaises*, Vol. VIII, No 7, février 1972, p. 101-108. (*Point de fuite*), p. 103-104)
"*Neige noire*, éd. La Presse, coll. Ecrivains des deux mondes, 1974, 254 p., recensé par Joseph Bonenfant", dans *Livres et auteurs*

québécois, 1974, p. 20-23

Bosco, Monique
"Ecrire est un grand amour...", dans *le Magazine Maclean*, Vol. VI, No 1, janvier 1966, p. 45 et 46
"Ce 'cochon de payant' de lecteur", dans *le Magazine Maclean*, vol. VIII, juin 1968, p. 47 (*Trou de Mémoire*)

Bosquet, Alain
"Un écrivain français dit ce qu'il pense de la littérature", dans *l'Indépendance*, Vol. IV, No 21, 1er octobre 1966, p. 6

Boucher, André-Pierre
"La main sensible d'Hubert Aquin", dans *Ces mains qui vous racontent*, Montréal, Ed. du Jour, 1966, p. 45-46

Boucher, Yvon
"Aquin par Aquin", (entrevues de 1974), dans *Québec littéraire 2, Hubert Aquin*, Montréal, Guérin, 1976, p. 129-149

Bouffard, Odoric
"Le Canadien-français entre deux mondes", dans *Culture*, Vol. XXVIII, No 4, décembre 1967, p. 347-356

Bourneuf, Roland
"Formes littéraires et réalités sociales dans le roman québécois", dans *Livres et auteurs québécois*, 1970, p. 265, 269

Bouthillette, Jean
"Ecrivain faute d'être banquier", dans *Perspectives* du *Soleil*, Vol. IX, No 41, 14 octobre 1967, p. 64-67. Reproduit dans *Point de fuite*, Montréal, Cercle du Livre de France, 1971, p. 13-20

Brabant, Madeleine
"Un monde imaginaire et farfelu : *Table tournante* de H. Aquin", dans *l'Industrie*, Vol. XXXI, No 38, 18 septembre 1968, p. 3, col. 1-2. Reproduit dans *Ici Radio-Canada*, Vol. II, No 39, 21-27 septembre 1968, p. 6, col. 3-4

Brochu, André
L'instance critique, 1961-1973, Montréal, Leméac, coll. "Indépendances", 1974, 376 p. p. 359-368

Brousseau, Jean-Paul
"Les mots et les silences d'Hubert Aquin", dans *la Presse*, 15 avril 1972, p. B-12 (Sur une conférence d'Aquin à l'UQAM)
"Pour Tremblay et Aquin : bons baisers de Québec", dans *la Presse*, 26 août 1972, p. C-3
"Hurtubise et Aquin à la direction des Editions La Presse", dans *la Presse*, 22 février 1975, p. A-9

Brunette, Christiane
"*Ne ratez pas l'espion*, au Théâtre de Marjolaine", *le Soleil*, Vol. LXIX, No 163, 9 juillet 1966, p. 8

Chabot, Denys
"Automne '66 : rentrée littéraire", dans *le Tremplin*, Vol. I, No 3, 18 octobre 1966, p. 6

Chamberland, Paul
"Dire ce que je suis , notes", dans *Parti pris*, Vol. II, No 5, janvier 1965, p. 36-42

Chesneau, Albert
"Déchiffrons *L'Antiphonaire*", dans *Voix et images*, Vol. I, No 1, septembre 1975, p. 26-34

Cloutier, N.
"Le scandale du joual", dans *le Magazine Maclean*, Vol. VI, No 2, février 1966, pp. 10-11, 26-28

Cloutier, Normand
"James Bond - Balzac - Sterling Moss - ... : Hubert Aquin", (entrevue avec Aquin), dans *le Magazine Maclean*, Vol. VI, No 9, septembre 1966, pp. 14-15, 37-42

Cocke, Emmanuel
"Prix", dans *Photo-Journal*, Vol. 32, No 50, 26 mars - 2 avril 1969, p. 46, col. 5

Constantineau, Gilles
"M. Tartempion parle de *Double sens*", dans *le Devoir*, 1er février 1972, p. 18, 6
"Un prix David chaleureux dans une serre sans fleurs", dans *le Soleil*, 31 janvier 1973, p. 54
' "Vous nous colonisez de l'intérieur... ' Hubert Aquin part en guerre contre Lemelin et Power", dans *le Devoir*, 5 août 1976, p. 1, col. 5 et 6
"*La Presse* limoge Hubert Aquin", dans *le Devoir*, 7 août 1976, p. 1, col. 4 et 6

Côté, Michel
"Structure narrative de *Prochain Episode*", dans *Etudes de littérature québécoise* de Joseph Bonenfant, Sherbrooke, Département des Etudes françaises de l'Université de Sherbrooke, 1971, p. 67-75

Cotnam, Jacques
"Du romancier canadien-français au romancier québécois", dans *le Roman contemporain d'expression française*, Sherbrooke, CELEF, 1971, p. 179, 185-188

Courtemanche, Gil
"Un premier roman qui s'impose", dans *Miroir du Québec*, Vol. I, No 11, 2 novembre 1965, p. 20

Crevier, Gilles
"*Prochain Episode* d'Hubert Aquin, une recherche entre le vrai et le faux", dans *le Courrier d'Outremont*, 13 octobre 1966, p. 9

Crip, Stefan
"*Vingt-quatre heures de trop*", dans *l'Information Médicale et Paramédicale*, Vol. XXI, No 10, 1er avril 1969, p. 21, col. 1-5

Daigneault, Claude
"Hubert Aquin, l'illusionniste", dans *le Soleil*, 71e année, No 108, 4 mai 1968, p. 44, col. 1-4
"Un écrivain qui n'a pas passé inaperçu", dans *le Soleil*, Vol. LXXVII, No 25, 27 janvier 1973, p. 47

Dassylva, Martial
"Coup d'oeil sur le programme des théâtres d'été", dans *la Presse* (Cahier Arts et lettres), Vol. LXXXII, No 118, 27 mai 1966, p. 10

Desaulniers, Léo-Paul
"Ducharme, Aquin : conséquences de la mort de l'auteur", *Etudes françaises*, Vol. VII, No 4, novembre 1971, p. 398-409

Desrosiers, Jacques
"Le phénomène Hubert Aquin", dans *le Thérésien*, Vol. I, No 5, mars 1966, p. 7

Desrosiers, Pierre
"Séraphin ou la dépossession", dans *Parti pris*, Vol. IV, No 5-6, janvier-février 1967, p. 61

Devergnas, Meery
"Les Soviétiques découvrent notre littérature romanesque et une civilisation francophone en terre américaine", présentation de *Littérature canadienne de langue française*, 1954-1965, de N. I. Vannilova, Moscou, Editions "Ecole Supérieure", 1969, dans *le Devoir*, 8 septembre 1963

Dionne, René
"*Trou de Mémoire*", dans *Etudes françaises*, Vol. 4, No 4, novembre 1968, p. 444-447

Dorion, Gilles
"Hubert Aquin. Entrevue", dans *Québec français*, décembre 1976, p. 21-22

Dostie, Gaétan
"Hubert Aquin : bagnard révolutionnaire", dans *Campus estrien*, Vol. XII, No 7, 19 octobre 1966, p. 9
"Grand prix littéraire de la ville de Montréal, Hubert Aquin, séducteur pressé et pressant", dans *le Jour*, 24 mai 1976, p. 12-14

Dubuc, Carl
"Coup de griffe, *Prochain Episode*", dans *la Patrie*, 25 décembre 1966, p. 2

Duhamel, Roger
"Les romanciers canadiens à la une", dans *le Droit*, Vol. LIV, No 187, 5 novembre 1966, p. 12

Dumouchel, Thérèse
"Les Zartistiques", dans *Parti pris*, Vol. V, No 1, septembre 1967, p. 56

Dupire, Jacques
"Hubert Aquin, Yves Thériault et Jean Basile publiés à Paris", dans *Echos-Vedette*, Vol. IV, No 29, 6 août 1966, p. 27

Dvorak, Martha
"Une analyse structurale des personnages dans *Prochain Episode* de Hubert Aquin", dans *Revue de l'Université d'Ottawa*, Vol. XLV, No 3, juillet-septembre 1975, p. 371-381. Repris dans *Québec littéraire 2, Hubert Aquin*, Montréal, Guérin, 1976, p. 25-31, sous le titre "Analyse structurale"

Ethier-Blais, Jean
"*Prochain Episode*, un roman d'Hubert Aquin", dans *le Devoir*, 13 novembre 1965, p. 11. Repris dans *Signets II*, Montréal, Le Cercle du Livre de France, 1967, p. 233-237, sous le titre : "Hubert Aquin, Témoin à charge"

"*Trou de Mémoire*, dans *le Devoir*, Vol. LIX, No 111, 11 mai 1968, p. 15, col. 1-5

"Ces corps à la recherche d'une âme", dans *le Devoir*, 19 juillet 1969, p. 12

"*L'Antiphonaire* de Hubert Aquin, Les procédés de rhétorique de Confucius", dans *le Devoir*, 20 décembre 1969, p. 11

"*Point de fuite* : une pause d'Hubert Aquin", dans *le Devoir*, 30 janvier 1971, p. 9

"Un seigneur par l'intelligence et la dignité", dans *le Devoir*, 3 février 1973, p. 14 et 15

"H. Aquin, Prix de la Presse", dans *le Devoir*, 26 octobre 1974, p. 15

Etienne, Gérard
"Au *Prochain Episode* d'Hubert Aquin", dans *Métro-Express*, Vol. II, No 114, 4 décembre 1965, p. 16

Euvard, Michel
"Les corps étrangers : une littérature de la parole", dans *Parti pris*, Vol. III, No 5, décembre 1965, p. 77-78

Falardeau, Jean-Charles
"Hubert Aquin", dans *Liberté*, Vol. X, Nos 5-6, septembre 1968, p. 88-90. Reprise, avec rectifications de "Hubert Aquin, *Trou de Mémoire*", dans *Liberté*, No 57, mai-juin, p. 196, 194-195

"La littérature québécoise", dans *Liberté*, Vol. X, Nos 5 et 6, septembre-décembre 1968, p. 88-90

"L'évolution du héros dans le roman québécois", *Conférences J.-A. de Sève* 1-10, Montréal, Presses de l'Université de Montréal, 1969, p. 256-258

Fast, Lawrence
"Fragments and frustrations", dans *Vancouver Sun*, August 24 1973

Favreau, Michèle
"Hubert Aquin, propos recueillis sans magnétophone" dans *la Presse*, Vol. LXXXII, No 101, 30 avril 1966, p. 11

Felteau, Cyrille
"Happening au Ritz !!!", dans *la Presse*, 25 octobre 1974, p. A-1, A-6

Ferguson, T.
"Mental inmate who had to write", dans *Maclean Magazine*, Vol. LXXIX, April 2, 1966, p. 47

Ferron, Jacques
"Douze nouvelles, peu de nouveau", dans *le Petit Journal*, 3 août 1969, p. 75. Sur la publication de "De retour le 11 avril", dans *Liberté*

"L'Aquinubertite", dans *le Petit Journal*, 11 janvier 1970, p. 73

"Un tournant de littérature" dans *le Magazine Maclean*, Vol. X, mars 1970, p. 44-46

"Premier épisode", dans *le Québec littéraire 2, Hubert Aquin*, Montréal, Guérin, 1976, p. 9-11

Fisette, Robert
"*Trou de Mémoire*, — L'Anamorphose du réel ambigu", dans *la Littérature selon Maurice Blanchot* de Joseph Bonenfant, Sherbrooke, 1971, p. 170-180

Folch, Jacques
"Entretiens avec deux romanciers et l'opinion de deux étrangers",
dans *Liberté*, Vol. VII, No 6, novembre-décembre 1965, p. 505-507,
552
"Claude Jasmin, Hubert Aquin", dans *Europe*, No 478-479, février-
mars 1969, p. 65-68

Fortin, N.
"Le snobisme de la défense de la liberté", dans *Quartier latin*,
Vol. XLIX, No 6, 4 octobre 1966, p. 2

Francion
"De la littérature considérée comme l'une de nos maladies", dans
le Progrès du Golfe, 65e année, No 5, 25 avril 1968, p. 6, col. 1-3

Gagnon, A.-Marcel
"Une lecture de *L'Antiphonaire*, dans *Québec littéraire 2, Hubert
Aquin*, Montréal, Guérin, 1976, p. 105-107

Gagnon, Anne
"Hubert Aquin et le jeu de l'écriture", dans *Voix et images*, Vol. I,
No 1, septembre 1975, p. 5-18

Gagnon, Claude
"Vie culturelle", dans *Quartier latin* (supp. philosophie), Vol.
XLVIII, No 29, 8 février 1966, p. 6

Godard, Barbara
"*Antiphonary*, translated by Alan Brown", dans *Canadian Forum*,
Vol. LIII, novembre-décembre 1973, p. 33-34

Godbout, Jacques
"Entre l'académie et l'écurie", dans *Liberté*, Vol. XVI, No 3, mai-
juin 1974, p. 16-33
"Les livres — le troisième étage du cerveau", dans *le Magazine
Maclean*, Vol. XV, No 1, janvier 1975, p. 6

Godin, Gérald
"Allez, allez, soyez peintres, soyez écrivains...", dans *le Magazine
Maclean*, Vol. VI, No 1, janvier 1966, p. 45

Gourd, Anne
"*Prochain Episode*", dans *Actualité*, mai 1966, p. 33

Green, Mary
"Quebec conference of teachers and writers", dans *The Montreal
Star*, 100e année, No 129, 1er juin 1968, p. 4

Guay, Jean-Pierre
"Six écrivains reçoivent le prix du Gouverneur général", dans *l'Action*, 62e année, No 18,755, 22 avril 1969, p. 15, col. 3-5

Guenette, René E.
"Hubert Aquin : écrivain-séparatiste", dans *l'Evangéline*, Vol.
LXXX, No 8579-90, 18 avril 1967, p. 4

Hébert, François
"Le noir et le blanc, le bleu et le rouge", sous la rubrique "Roman"
dans *Etudes françaises*, Vol. XI, No 2, mai 1975, intitulé *l'Année
littéraire québécoise 1974*, compte rendu de *Neige noire*, p. 111-113

Henchiri, Sliman
"*Prochain Episode* : un 'nouveau roman' ", dans *Incidences*, No 10,

août 1966, p. 42-45

Hertel, François
"Loisirs et lectures", dans *l'Information médicale et paramédicale*, Vol. XIX, No 4, 3 janvier 1967, p. 24
"Du misérabilisme intellectuel, du besoin de se renier... et de quelques chefs-d'oeuvres' ", dans *l'Action Nationale*, Vol. LVI, No 8, avril 1967, p. 828, 835

Homier-Roy, René
"*Table tournante* : une oeuvre de télévision", dans *le Petit Journal*, 42e année, No 49, 29 septembre 1968, p. 96, col. 1

Houle, René
"Hubert Aquin et Jacques Godbout se font mieux connaître dans les pays francophones...", dans *Ici Radio-Canada*, Vol. V, No 19, 1-7 mai 1971, p. 1

Huot, Jean
"Premier (sic) épisode d'Hubert Aquin", dans *le Droit*, Vol. LIII, No 289, 11 décembre 1965, p. 7

Iqbal, Françoise
"Hubert Aquin", D.E.S., Vancouver (UBC), 1971 (Thèse)
"*L'Antiphonaire*", dans *Québec littéraire 2, Hubert Aquin*, Montréal, Guérin, 1976, p. 67-103
"Hubert Aquin, grand-prêtre de l'écriture", dans *Québec français*, décembre 1976, p. 23, 26-28
"Bibliographie", dans *Québec français*, décembre 1976, p. 28

Irwin Joan
"Spirit of Quebec in Aquin's Novel", dans *The Montreal Star*, Vol. XCVIII, No 42, 19 février 1966, p. 6

Kattan, Naïm
"*Prochain Episode*", dans *Bulletin du Cercle juif*, Vol. XII, No 109, janvier 1966, p. 3
"Présence canadienne en France", dans *Bulletin du Cercle juif*, Vol. XIII, No 117, novembre 1966, p. 2
"Lettre de Montréal", dans *Canadian Literature*, No 37, Summer 1968, p. 68-71

Kempf, Yerri
"Jean-Paul Lefebvre ou l'Anti-ONF", dans *Cité libre*, Vol. XVI, No 83, janvier 1966, p. 30 et 31

Keypour, N. David
"Hubert Aquin : *L'Antiphonaire*", dans *Présence francophone*, No 6, printemps 1973, p. 120-132

Lachance, Micheline
"Hubert Aquin, le sentiment d'être près de la fin.../*Neige noire* et la stratégie d'auteur", dans *Québec-Presse*, 3 novembre 1974, p. 23

Langevin, Gilbert
"L'écrivain appartient d'abord à son peuple", dans *le Devoir*, 13 août 1976, p. 4 (Lettre ouverte à Roger Lemelin au sujet du congédiement d'Hubert Aquin des Editions La Presse).

Laroche, Maximilien
"Les thèmes du roman", dans *l'Action Nationale*, Vol. LV, No 9-10,

mai-juin 1966, p. 1142-1154

Lasnier, Louis
"Spatio-analyse de *Prochain Episode*", dans *Québec littéraire 2, Hubert Aquin*, Montréal, Guérin, 1976, p. 33-53

Lauzon, Adèle
"Le roman d'Aquin, un film de Groulx ?", dans *le Magazine Maclean*, Vol. VI, No 7, juillet 1966, p. 46
"Le refus global, 20 ans après", dans *Liberté*, Vol. X, No 5 et 6, septembre-décembre 1968, p. 7-8

Leblanc, Gérald
"Hubert Aquin, prix David", dans *le Devoir*, 31 janvier 1973, p. 3

Leduc, Jean
"*Point de fuite*", dans *Livres et auteurs québécois 1971*, Editions Jumonville, 1972, p. 201

Lefebvre, Arlette
"Le refus d'Hubert Aquin", dans *le Devoir*, Vol. LX, No 102, mai 1969, p. 4, col. 6-8

Lefebvre, Jocelyne
"*Prochain Episode* ou le refus du livre", dans *Voix et images du pays V* Montréal, Les Presses de l'Université du Québec, 1972, p. 141-164

Legris, Renée
"Les structures d'un nouveau roman, *Prochain Episode*, dans *Cahiers de Sainte-Marie I*, mai 1966, p. 25-32. Repris dans *les Critiques de notre temps et le Nouveau Roman*, Paris, Editions Garnier Frères, coll. "Les critiques de notre temps", No 11, 1972, p. 152-157, sous le titre : "Structures de l'action romanesque dans *Prochain Episode*"

Lemieux, Michel
"Un royaume bizarre", dans *le Canada français*, Vol. CVIII, No 15, 7 septembre 1967, p. 22

Léonard, Albert
"Un romancier virtuose : Hubert Aquin. A propos de *L'Antiphonaire*", dans *l'Oeuvre littéraire et ses significations*, No 24 des Cahiers de l'Université du Québec, Montréal, Les Presses de l'Université du Québec, 1970, p. 191-196
Repris dans *les Critiques de notre temps et le Nouveau Roman*, Paris, Editions Garnier Frères, coll. "Les critiques de notre temps", No 11, 1972, p. 162-166, sous le titre : "Un romancier virtuose"

Lévesque, Robert
"Caricature de justice aux Affaires culturelles : malgré l'avis du jury, Claire Kirkland-Casgrain arrache $9,000 à Tremblay et Aquin pour les donner à Hudon", dans *Québec-Presse*, 2 août 1972, p. 23

Lockwell, Clément
"Un roman d'Hubert Aquin : *Prochain Episode*, dans *le Soleil*, No 276, 20 novembre 1965, p. 24
Repris, sous le titre : "*Prochain Episode* de Hubert Aquin", dans *Livres et Auteurs canadiens*, 1965, Editions Jumonville, p. 41-42

Maille, Michelle
"Des média à l'enseignement, en passant par la littérature : Hubert

Aquin", dans *l'Interdit*, Université de Montréal, mars 1973, p. 6-7

Maître, Manuel
"*Ne ratez pas l'espion*", dans *la Patrie*, Vol. LXXXVII, No 27, 10 juillet 1966, p. 52
"*Table tournante* (sans esprits ni fantômes), un téléthéâtre pas comme les autres...", dans *la Patrie*, 89e année, No 23, semaine du 9 juin 1968, p. 39, col. 1-6

Major, André
"*Prochain Episode*... Est-ce le roman d'un grand rêve ?", dans *le Petit Journal*, Vol. XL, No 2, 7 novembre 1965, p. 32
"Des vies d'enfer", dans *le Petit Journal*, Vol. XL, No 7, 12 décembre 1965, p. 34
"Le romancier est un visionnaire", dans *Liberté*, No 42, novembre-décembre 1965, p. 492-497
"Notre roman de 1960 à 1965", dans *le Petit Journal*, Vol. XL, No 18, 27 février 1966, p. 34
"Une littérature clandestine", dans *le Devoir*, Vol. LVII, No 75, 31 mars 1966, p. 20
"Age tendre (pour quoi ?) et *Faux* (ou vrai) *bond*", dans *le Devoir*, Vol. LVIII, No 19, 24 janvier 1967, p. 8
"Pour une pensée québécoise", dans *Cahiers de Sainte-Marie*, No 4, avril 1967, p. 125-131
"Grandeur et misère de la jeunesse", dans *le Devoir*, Vol. LVIII, No 301, 30 décembre 1967, p. 14, col. 4-8
"Ecrire pour Hubert Aquin : l'acte privatif par excellence", dans *le Devoir*, Vol. LIX, No 87, 13 avril 1968, p. 16, col. 1-5
"L'académie, pourquoi faire ?", dans *le Devoir*, 13 décembre 1969, p. 14 (Sur l'Académie canadienne-française et sur *L'Antiphonaire*).

Major, Jean-Louis
"Inventaires, inventions", dans *le Devoir*, Vol. LVII, No 75, 31 mars 1966, p. 17
"Hubert Aquin", dans *Histoire de la littérature française du Québec*, de Pierre de Grandpré, tome IV, Montréal, Beauchemin, 1969, p. 168-173

Marcel, Jean
"Les écrits et les livres. Lettres et littérature", dans *l'Action nationale*, Vol. LIV, No 4, décembre 1964, p. 396. (Sur les propos d'Aquin dans *Littérature et société canadiennes-françaises*).

Marcotte, Gilles
"Hubert Aquin et le destin d'écrivain", dans *la Presse*, Vol. LXXXI, No 257, 6 novembre 1965, p. 3
"Les livres canadiens-français sous la loupe de quelques sociologues et écrivains", dans *la Presse*, Vol. LXXXI, No 257, 6 novembre 1965, p. 3
"Une bombe : *Prochain Episode*", dans *la Presse*, 13 novembre 1965 Reproduit dans *les Bonnes Rencontres*, Montréal, H.M.H., "Reconnaissances", 1971, p. 188-191
"Le roman canadien à la conquête de Paris", dans *Journal des Jeunesses Musicales du Canada*, décembre 1966, p. 6
"*Prochain Episode*", dans *Québec 1966*, Paris, No 6, p. 109-111

Martel, Jean-Pierre
Trou de Mémoire, ouverture baroque, M.A., McGill, 1971, (Thèse)

"*Trou de Mémoire*, un jeu formel mortel", dans *Québec littéraire 2, Hubert Aquin*", Montréal, Guérin, 1976, p. 55-65

Martel, Réginald
"Refus d'Aquin et dédicace de Ferron", dans *la Presse* (Arts et lettres), 85e année, No 103, 3 mai 1969, p. 32, col. 6-8
"Sur mon chemin j'ai rencontré...", dans *la Presse*, 29 novembre 1969, p. 24
"Un roman qui vous habite", dans *la Presse*, 13 décembre 1969, p. 24
"1 + 1 + 1 − = 0, dans *la Presse*, Vol. XXXIV, No 29, 3 février 1973, p. C-2
"Une transgression délirante du sens", dans *la Presse*, 5 octobre 1974, p. D-3

McCutcheon, Sarah
"Quebec forecast : stormy to fair", dans *Quill and Quire*, Vol. XLII, No 7, 1976, p. 3

McDougall, Anne
"A plot used to weave intricate nets of mystery", dans *Victoria Times*, July 14, 1973

Melançon, André
"*Prochain Episode* de H. Aquin", dans *Lectures '66*, Vol. XII, No 8, avril 1966, p. 239-240

Melançon, Joseph
"Le procès métaphorique dans *Prochain Episode*", dans *Québec littéraire 2, Hubert Aquin*, Montréal, Guérin, 1976, p. 15-24

Miron, Gaston
"Un long chemin", dans *Parti pris*, Vol. II, No 5, janvier 1965, p. 27. Repris dans *l'Homme rapaillé*, Montréal, Presses de l'Université de Montréal, 1970, p. 116

Misaillon, Marguerite
"Sur le refus d'un prix", dans *le Devoir*, Vol. LX, No 102, 2 mai 1969, p. 5

Moore, C.H.
"A cry to be heard", (*Prochain Episode*), dans *Canadian Literature*, No 29, Summer 1966, p. 64-66

Morin, Yvon
"Livres à lire au coin du feu - Hubert Aquin", dans *l'Evangéline*, Vol. LXXX, No 8572-82, 8 avril 1967, p. 4
"*Trou de Mémoire*", dans *l'Evangéline*, 81e année, No 8883-93, 19 avril 1968, p. 4, col. 3-8

Morley, Patricia
"Black Comedy", dans *Ottawa Journal*, June 23, 1973

Mornard, Yvan
"L'imaginaire sacrifié au reportage", dans *Désormais*, Vol. I, No 1, avril 1966, p. 14

Okeh, Lucie
Analyse structurale de Prochain Episode *de Hubert Aquin*, M.A., Moncton, 1971 (Thèse)

Ouellet, Réal

"Les Critiques de notre temps et le Nouveau Roman", présentation par Réal Ouellet, Paris, Editions Garnier Frères, coll. "Les critiques de notre temps", No 11, 1972, p. 152-166, et 188-190

Pagé, Pierre
"Le prix David 1972 : Hubert Aquin", dans *Culture vivante*, No 28, juin 1973, p. 2-3

Payette, André
"Bilan de la VIe rencontre des écrivains à Sainte-Agathe", dans *le Devoir*, Vol. LIX, No 129, 1er juin 1968, p. 13, col. 1-8

Pelletier, Jacques
"Une année de consolidation", dans *Livres et auteurs québécois 1974*, p. 14-19
"Sur *Neige noire*, l'oeuvre ouverte de Hubert Aquin", dans *Voix et Images*, Presses de l'Université du Québec, Vol. 1, No 1, septembre 1975, p. 19-25

Petit-Martinon, Charles
"Du suspense, cet été, au théâtre d'Eastman", dans *le Petit Journal*, Vol. XL, No 30, 22 mai 1966, p. 55

Philip, John
"The Antiphonary", dans *Quill and Quire*, June 1973

Piazza, François
"Trou de Mémoire", dans *Echos-Vedettes*, Vol. VI, No 14, 20 avril 1968, p. 27, col. 1-3

Pilon, Jean-Guy
"Paris et le roman canadien", dans *le Devoir*, Vol. LVII, No 250, 27 octobre 1966, p. 12
"Je ne connais pas Hubert Aquin, et vous ?", dans *l'Illettré*, No 4, été 1970, p. 11
"Mettre des trémas sur les 'i' ", dans *le Devoir*, 4 juin 1971, p. 12 (Réponse à la lettre d'Aquin parue dans *le Devoir*, 3 juin 1971, p. 12)
"Une longue route", dans *Liberté*, Vol. XVI, No 5-6, septembre-décembre 1974, p. 71-80

Pivot, Bernard
"L'offensive des romanciers canadiens", dans *le Devoir*, Vol. LVII, No 223, 24 septembre 1966, p. 12

Poissant, Georges
"Prochain Episode" : une nation s'ausculte", dans *le Sainte-Marie*, Vol. XI, No 4, 29 novembre 1965, p. 7
"Une liberté dévalorisée", dans *le Sainte-Marie*, (supplément *les Carnets*), Vol. I, No 1, mars 1966, p. 7

Poisson, Roch
"Vie littéraire", dans *Photo-Journal*, Vol. XXIX, No 33, 1er décembre 1966, p. 83
"Vie littéraire", dans *Photo-Journal*, Vol. XXIX, No 40, 19 janvier 1966, p. 69
"Vie littéraire", dans *Photo-Journal*, Vol. XXIX, No 41, 26 janvier 1966, p. 69
"Vie littéraire", dans *Photo-Journal*, Vol. XXIX, No 42, 2 février 1966, p. 69

"Vie littéraire", dans *Photo-Journal*, Vol. XXIX, 12 septembre 1966, p. 61

"Un vaste marché à exploiter...", dans *Photo-Journal*, Vol. XXX, No 24, 28 septembre 1966, p. 64

"Vie littéraire", dans *Photo-Journal*, Vol. XXX, No 35, 14 décembre 1966, p. 75 (Sur le Goncourt qui a échappé à Aquin)

"Dans *Liberté*, Hubert Aquin envoie promener nos "cousins de France !", dans *Photo-Journal*, Vol. XXX, No 48, 15 mars 1967, p. 98

"Hubert Aquin a surpeuplé la Suisse", dans *Photo-Journal*, Vol. XXX, No 51, 5-12 avril 1967, p. 77

"Vie littéraire", dans *Photo-Journal*, Vol. XXXI, No 27, 18-25 octobre 1967, p. 69

"Rétrospective de l'an 1967", dans *Photo-Journal*, Vol. 31, 27 décembre 1967-3 janvier 1968, p. 52

"Le Québec vu par : Vallières, Chaput-Rolland et Aquin", dans *Photo-Journal*, Vol. XXXII, No 1, 17 au 24 avril 1968, p. 58, col. 1-5

Pontaut, Alain
"Hubert Aquin : '... que la page ne soit plus la page' ", dans *la Presse*, 84e année, No 88, 13 avril 1968, p. 29, col. 1-4. (Entrevue avec Aquin)

"Sherlock Holmes revu par Pirandello", dans *la Presse*, 84e année, No 93, 29 avril 1968, p. 30, col. 3-4

Poupart, Jean-Marie
"Les moutons suivis d'une mise au point claire et nette", dans *l'Illettré*, No 4, été 1970, p. 14

Préfontaine, Yves et Bigras, Mireille
"*Prochain Episode*, le premier roman de Hubert Aquin", dans *Liberté*, Vol. VII, No 6, novembre-décembre 1965, p. 557-563

Purdy, Anthony George
"Analyse du roman de Hubert Aquin, *Prochain Episode* : une dialectique d'illusions". Thèse de M.A., University of Western Ontario, 1975. Ottawa, Bibliothèque Nationale du Canada, 1976, thèses canadiennes sur microfiche, No 24645

Renaud, André
"Romans, nouvelles et contes 1960-1965", dans *Livres et auteurs canadiens 1965*, p. 7-12

Rens, Jean-Guy
"Un double échec littéraire... et politique", dans *Québec littéraire 2, Hubert Aquin*, Montréal, Guérin, 1976, p. 121-126

Revel, Jean-François
"Une invention du XXe siècle : le maniérisme", dans *l'Oeil*, No 131, p. 2-15, 63-64

Ricard, François
"*Neige noire* de Hubert Aquin, La caméra comme instrument littéraire", dans *le Jour*, 26 octobre 1974, p. 14

Roberge, Françoys
"Les livres", dans *Sept-Jours*, No 15, 27 décembre 1969, p. 14

Robert, Guy

"Un ensemble d'approximation", dans *Canadian Literature*, No 25, Summer 1965, p. 60-69

"Hubert Aquin, prix David 1972,... Une oeuvre trouble, troublante, troublée", dans *le Soleil*, Vol. LXXVII, No 25, 27 janvier 1973, p. 47

Robidoux, Réjean

"L'autonomie littéraire, notre héritage", dans *le Devoir*, Vol. LVII, No 75, 31 mars 1966, p. 19

"L'autonomie d'une petite littérarure", dans *Mosaïc*, Vol. I, No 3, avril 1968, p. 97 à 109

"Romans, nouvelles et contes", (*Trou de Mémoire*), dans *University of Toronto Quarterly*, Vol. XXXVIII, juillet 1969, p. 474-475

"Romans, récits, nouvelles, contes", (*L'Antiphonaire*), dans *University of Toronto Quarterly*, Vol. XXXIX, juillet 1970, p. 438

Robitaille, Yvonne et Duhaime, Micheline

"Deux heures avec l'auteur de *Prochain Episode* : Hubert Aquin", dans *la Parole*, Vol. XXIX, No 5, 15 décembre 1965, p. 1

Roussan, Jacques de

"*Prochain Episode*", dans *la Patrie*, Vol. LXXXVI, No 48, 5 décembre 1965, p. 64

Roux, Paul

"Viols, meurtres et suicides", dans *le Soleil*, 20 décembre 1969, p. 35

Roy, Huguette

Structures romanesques dans les trois premiers romans d'Hubert Aquin, M.A., Sherbrooke, 1970 (Thèse)

"Structures parallèles dans *l'Antiphonaire*", dans *Etudes de littérature québécoise* de Joseph Bonenfant, Sherbrooke, Département des Etudes françaises de l'Université de Sherbrooke, 1971, p. 76-81

Royer, Jean

"L'Illettré No 4 : spécial Hubert Aquin", dans *l'Action*, 25 juillet 1970, p. 16

Saint-Germain, Pierre

"Présence des écrivains canadiens-français à la rencontre littéraire", dans *la Presse*, (Arts et lettres), Vol. LXXXII, No 222, 24 septembre 1966, p. 20

"La littérature du Québec à l'Institut France-Québec", dans *la Presse*, (Arts et lettres), Vol. LXXXII, No 292, 17 décembre 1966, p. 6

Saint-Onge, Paule

"Erotisme, révolution et évasion", dans *Châtelaine*, Vol. VII, No 1, janvier 1965, p. 60

"*Trou de Mémoire*", dans *Châtelaine*, Vol. IX, No 7, juillet 1968, p. 36, col. 4

Saunders, Tom

"For the discrimination reader", dans *Winnipeg Free Press*, July 28, 1972

Shek, Ben

"A separatist novel written in a Quebec jail", dans *The Toronto Daily Star*, 6 mai 1967, p. 78

Sheppard, Gordon
"A Dilemma with no Exit ?", dans *Telegram*, 26 avril 1969
"Blais, Aquin tell why Quebec has become as dangeroux as Christ"

Sirois, Antoine
"Le Roman canadien-français miroir de la société", dans *Arts et Lettres du Québec*, (*Le campus estrien* no spécial), avril 1968, p. 4

Smart, Patricia
"Novels. *The Antiphonary*, Hubert Aquin", dans *Queen's Quarterly*, Vol. LXXXI, No 2, Summer 1974, p. 313-314
"*Neige noire*, Hamlet et la coïncidence des contraires", dans *Etudes françaises*, Vol. XI, No 2, mai 1975, p. 151-160

Smith, Beverly
"*The Antiphonary*", dans *Book in Canada*, September 1973, p. 4

Stedmon, J.M.
"Fiction", (*Prochain Episode*), dans *University of Toronto Quarterly* Vol. XXXVII, juillet 1968, p. 384-385

Stratford, Philip
"French-canadian literature in translation", dans *Meta*, Vol. XIII, No 4, décembre 1968, p. 181

Sutherland, Ronald
"Twin Solitudes ", dans *Canadian Literature*, No 31, hiver 1967, p. 5-24
"The body-odour of race", dans *Canadian Literature*, No 37, Summer 1968, p. 46-67

Sutton, M.
"Whoredom and Marriage", dans *Toronto Citizen*, Vol. IV, No 15, August 31-September 13, 1973

Tadros, Jean-Pierre
"Le romancier maudit", dans *le Devoir*, Vol. LX, No 129, 4 juin 1969, p. 8, col. 1-4
"Conférence de Jean Ethier-Blais à S.G.W.U. Les jeunes proses québécoises : une littérature à rebours", dans *le Devoir*, 13 novembre 1969, p. 10

Tavernier, René
"*Trou de Mémoire*", dans *Liberté*, No 57, mai-juin 1968, p. 196-200

Tessier, Rudel
"Juste un mot sur *Isabel*", dans *Photo-Journal*, Vol. XXXII, No 24, 25 septembre-2 octobre 1968, p. 64, col. 3-4

Tetu, Michel
"*Trou de Mémoire*", dans *Livres et auteurs québécois 1968*, p. 33-34
"*L'Antiphonaire*", dans *Livres et auteurs québécois 1969*, p. 27-29

Théberge, Jean-Yves
"Qui n'est pas édité à Paris", dans *le Canada français*, Vol. CVII, No 16, 8 septembre 1966, p. 34
"*Trou de Mémoire*", dans *le Canada français*, Vol. CIX, No 16, 12 septembre 1968, p. 30, col. 1-5

Théoret, France
"Hypothèses", dans *le Cahier*, (suppl. du *Quartier latin*), Vol. III, No 7, 27 octobre 1966, p. 1 et 3

Thériault, Jacques
"Une nouvelle réédition, Hubert Aquin présente l'anti-Chénier",
dans *le Devoir*, 15 janvier 1974, p. 12
"Les éditions luxueuses : pour qui ? pourquoi ?", dans *le Devoir*,
21 mars 1974, p. 12

Thiffault, Henri-Paul
"*Le baroque dans l'oeuvre d'Hubert Aquin*", Université du Québec
à Trois-Rivières, M.A. Lettres, 1975 (Thèse)
"Bibliographie", dans *Québec littéraire 2, Hubert Aquin*, Montréal,
Guérin, 1976, p. 151-157

Trait, Jean-Claude
"Aquin : comme un comédien qui reçoit son Oscar", dans *la Presse*,
Vol. LXXXIX, No 29, 3 février 1973, p. C-2

Tranquille, Henri
"*Prochain Episode*", dans *Sept-Jours*, Vol. I, No 3, 1er octobre
1966, p. 47

Tremblay, C.
Lecture d'Hubert Aquin : "Prochain Episode", M.A., McGill, 1971
(Thèse)

Tremblay, Gisèle
"*Hubert Aquin et l'art d'écrire*", D.E.S., Montréal, 1967 (Thèse)

Tremblay, Robert
"Les euphémismes d'Hubert Aquin", dans le *Soleil*, 23 mars 1974,
p. 72

Turgeon, Pierre
"Le complot de Hubert Aquin. Récit et contre-récit chez Hubert
Aquin", dans *l'Illettré*, No 4, été 1970, p. 14

Vadeboncoeur, Pierre
"Témoignage sur *Prochain Episode*, d'Hubert Aquin", dans *le
Devoir*, Vol. LVII, No 23, 29 janvier 1966, p. 11

Valiquette, Bernard
"*Prochain Episode*", dans *Echos-Vedettes*, Vol. III, No 46, 4 décembre 1965, p. 24

Vannikova, N.I.
Dans *Littérature canadienne de langue française, 1945-1965*, Moscou, Editions Ecole Supérieure, 1969

Vaudry, Gérard-René
"Félicitations à Hubert Aquin", dans *le Devoir*, Vol. LX, No 109,
10 mai 1969, p. 5, col. 3-4

Viatte, Auguste
"Chronique des lettres françaises hors de France : le Canada", dans
Conjonction, octobre 1967, No 105, p. 5-11

Vigneault, Jacques
"*L'Antiphonaire* d'Hubert Aquin. On lit ce livre comme on reçoit
un sacrement", dans *Québec-Presse*, Vol. I, No 11, 28 décembre
1969, p. 18-A

Vigneault, Robert, S.J.
"*Prochain Episode*", dans *Relations*, No 306, juin 1966, p. 185

Viswanathan, Jacqueline
"*Prochain Episode* d'Hubert Aquin (analyse temporelle)", dans *Présence francophone*, No 13, automne 1976, p. 107-120

Vwong-Riddick, Thuong
"*Neige noire* : une esthétique de la transcréativité", dans *Québec littéraire 2, Hubert Aquin*, Montréal, Guérin, 1976, p. 115-119

Walsh, Pat
"L'inspiration marxiste du R.I.N. dans *le Service d'intelligence canadien*, Flesheston, Ontario, No 7, novembre-décembre 1964, p. 1, 4 (Sur Aquin vice-président du R.I.N.)

Werden, Gary
"Realism, picaresque pseudo-confession" (*Blackout*, translated by Alan Brown), in *Canadian Literature*, No 67, Winter 1976, p. 111-112

Williams, Penny Gail
"Next Episode ; excerpts from *Prochain Episode*, translated by Penny Gail Williams", dans *Maclean Magazine*, Vol. LXXIX, June 4, 1966, p. 16-17, 26
"In Switzerland : one separatist too many ; adapted by Penny Williams", in *Maclean Magazine*, Vol. LXXX, May 1967, p. 48b48c, 48 f.

4. AUTOUR DE SA MORT

Anonyme,
"Le suicide de Hubert Aquin est vivement ressenti à Paris" (AFP), dans *le Devoir*, 18 mars 1977, p. 12, col. 1
"Hubert Aquin", dans *le Devoir*, 19 mars 1977, p. 32, col. 1. Témoignages de : François Ricard, Jacques Godbout, Yvon Ricard, Pierre Turgeon, Arthur Lamothe, Louis-Georges Carrier, Laurent Lamy, Michelle Lalonde, Gaston Miron et Yves Berger
"Hubert Aquin : témoignages", dans *Québec français*, mai 1977, p. 13
"Hubert Aquin. La mort à l'aube", dans *les Lettres québécoises*, No 6, avril-mai 1977, p. 27
"Un dernier article d'Hubert Aquin : Un testament spirituel sur la culture et la langue québécoises, dans *Forces*, No 38, 1er trimestre 1977, p. 36-37

Basile, Jean
"Aquin : un homme à la hauteur", dans *le Devoir*, 17 mars 1977, p. 7, col. 1
"Les silences d'un écrivain", dans *le Devoir*, samedi 11 juin 1977, p. 15

Bérubé, Rénald
"La tragédie d'Hubert Aquin", dans *Vient de paraître*, Vol. XIII, No 2, mai 1977, p. 21

Chamberland, Paul
"L'un des 'horribles travailleurs' s'est absenté", dans *le Devoir*, 26 mars 1977, p. 28, col. 2

Champagne-Gilbert, Maurice

"Témoignages. Hubert Aquin et son geste. C'est l'acte d'un vivant", dans *le Devoir*, 26 mars 1977, p. 28, col. 1

Coulombe, Marcel
"Lettre ouverte à Jean Basile", dans *le Devoir*, 26 mars 1977, p. 28, col. 1

Dagenais, Angèle
"Hubert Aquin se donne la mort", dans *le Devoir*, 17 mars 1977, p. 7, col. 1

Dubé, Marcel
"Hubert Aquin en toute cohérence...", dans *le Livre d'ici*, Montréal, Vol. II, No 46, 24 aôut 1977, p. 3-6

Folch, Jacques
"Hubert Aquin, la solitude du coureur de fond", dans *Liberté*, Vol. XIX, No 2, mars-avril 1977, p. 3-6

Fournier, Richard
"Mémoire d'Hubert Aquin", dans *le Devoir*, 22 mars 1977, p. 4, col. 5

Gaulin, André
"Ses projets d'édition", dans *Québec français*, mai 1977, p. 14-15

Godin, Gérald
"Sur la mort d'Hubert Aquin", dans *la Presse*, 26 mars 1977, p. D3, col. 4

Lacombe, Claude
"Et la société ?", dans *Québec français*, mai 1977, p. 15

Langevin, André
"Hubert Aquin ou le coeur clandestin", dans *la Presse*, 16 avril 1977, p. D1, col. 1

Martel, Réginald
"Cette oeuvre en ce lieu pour nous", dans *la Presse*, 19 mars 1977, p. D3, col. 1

Ohl, Paul E.,
"En état d'insurrection appréhendée", dans *le Devoir*, 26 mars 1977, p. 28, col. 1
"La tragédie d'Hubert Aquin", dans *Vient de paraître*, Vol. XIII, No 2, mai 1977, p. 21

Perrault, Pierre
"Trou d'homme", dans *le Jour*, Vol. I, No 26, 29 juillet 1977, p. 29-31

Royer, Jean
"Hubert Aquin. Vivre est un projet", dans *le Soleil*, 19 mars 1977, p. D2, col. 2

Tisseyre, Pierre
"Son premier roman", dans *Québec français*, mai 1977, p. 15

Tremblay, Renald˙
"Assis au centre du XIXe siècle", dans *le Devoir*, 26 mars 1977, p. 28, col. 1

Yanacopoulo, Andrée
"Nos adieux", dans *Québec français*, mai 1977, p. 13-14

Photo de Séguillon, 1965

Achevé d'imprimer par les travailleurs
des ateliers Marquis Limitée de Montmagny
le 10 mars 1978

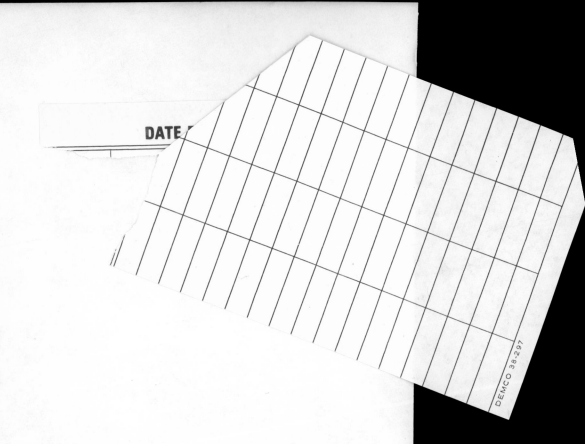

DATE